Lourdes Ros | Olga Swerlowa | Dr. Sylvia Klötzer | Dr. Kerstin Reinke (Phonetik) |
Angelika Raths (Hörspiel und DVD) | Angelika Lundquist-Mog (DVD)
Dr. Sabine Jentges (Strategien) | Eva-Maria Jenkins-Krumm (G

Aussichten A1.1

Kurs- und Arbeitsbuch
mit 2 Audio-CDs und DVD

Ernst Klett Sprachen
Stuttgart

Die Symbole bedeuten:

KB   AB

Sie arbeiten mit Ihrer Lernpartnerin / Ihrem Lernpartner zusammen.

Sie arbeiten in der Gruppe.

Sie gestalten etwas (schreiben, zeichnen, …).

Sie hören mit der Audio-CD.

Sie hören und sehen mit der DVD.

Sie lernen eine Strategie kennen.

Die Aufgabe ist für Ihr Portfolio.

➥ AB 1   Das sind passende Aufgaben im Arbeitsbuch,

➥ KB 1   im Kursbuch und

➥ IS 2/1   in Integration Spezial.

1. Auflage   1 ⁵ ⁴ ³ ² ¹ | 2013 2012 2011 2010 2009

Autorinnen: Lourdes Ros, Olga Swerlowa, Dr. Sylvia Klötzer, Dr. Kerstin Reinke (Phonetik),
Angelika Raths (Hörspiel und DVD), Angelika Lundquist-Mog (DVD), Dr. Sabine Jentges (Strategien),
Eva-Maria Jenkins-Krumm (Grammatik)
Beratung: Haide Faridani (VHS Göttingen), Alexandra von Rohr (Sprachinstitut Treffpunkt, Bamberg),
Andrea Witt (VHS Bonn)

Projektteam: Renate Weber, Enikő Rabl, Eva-Maria Jenkins-Krumm, Coleen Clement
Redaktion: Renate Weber, Enikő Rabl, Eva-Maria Jenkins-Krumm
Layoutkonzeption: Beate Franck-Gabay, Claudia Stumpfe
Herstellung: Claudia Stumpfe
Gestaltung und Satz: Eva Mokhlis, Stuttgart
Illustrationen: Vera Brüggemann, Bielefeld
Umschlaggestaltung: Silke Wewoda
Druck und Bindung: Firmengruppe APPL, aprinta druck, Wemding
Printed in Germany
ISBN: 978-3-12-676205-2

Wie arbeiten Sie mit Aussichten?

Kursbuch

Die Einstiegsdoppelseite stellt Schauplätze und Themen
der Lektion vor.

Jede Lektion besteht aus drei thematischen Einheiten, die in
den Handlungsfeldern privat – beruflich – öffentlich spielen.

Zu jedem wichtigen sprachlichen Phänomen (Wortschatz,
Grammatik, Phonetik) gibt es eine Infobox.

Die Ausklang-Doppelseite bietet Projekte, Spiele, Lieder und Gedichte an.

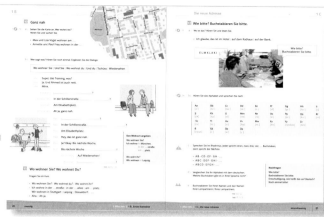

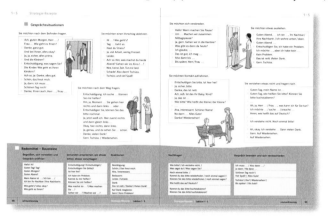

Im Strategietraining werden die Fertigkeiten noch einmal
Schritt für Schritt trainiert.
In den Strategie-Rezepten sind Redemittel und Tipps für die
alltägliche Kommunikation übersichtlich zusammengestellt.

Im Anhang gibt es eine Grammatik zum Nachschlagen und
eine komplette alphabetische Wortliste.

Arbeitsbuch

Jede Lektion beginnt mit einer Übersicht über den Basiswortschatz.

Viele Übungen, Fokus-Kästen mit wichtigen Informationen zu
Grammatik, Landeskunde und Strategien sowie ein Überblick
über das neue Sprachmaterial unterstützen beim Lernen.

In Lust auf mehr gibt es weiterführende Themen, Texte und
Bilder zur Lektion.

Das kann ich schon! – Eine Wiederholung nach jeder zweiten
Lektion und ein Wiederholungsspiel nach jeder fünften Lektion bringen Sicherheit.

DVD

Die DVD zeigt Filmporträts realer Personen in den deutsch-
sprachigen Ländern. Zu jedem Porträt gibt es eine Doppelseite
mit passenden Aufgaben im Arbeitsbuch.

Audio-CDs

Die CDs enthalten alle Texte zum Kurs- und Arbeitsbuch: Hörspiel,
Übungsdialoge, Ausspracheübungen, Lieder und Gedichte.

Integration Spezial

Jedes Modul greift passend zu den Lektionen Themen des öffentlichen Lebens in Deutschland auf
und vertieft diese.

Wortschatz und Strukturen	Strategien	Phonetik

- Namen von Personen, Ländern, Kontinenten
- Zahlen von 1-100
- Alphabet
- erste Nomen mit dem bestimmten Artikel
- erste Verben im Präsens
- W-Fragen und Aussagesatz

- Geräusche helfen beim Hörverstehen
- nachfragen, wenn man etwas nicht versteht
- schwierige Wörter buchstabieren

- Wortakzent

- Wochentage
- Berufe, Arbeitsorte, Tätigkeiten
- unbestimmter und bestimmter Artikel
- Temporalangaben: Tageszeiten und Wochentage
- das Verb *haben*
- Ja- / Nein-Frage
- Verben im Präsens

- Vorinformationen nutzen
- Internationalismen helfen
- Schlüsselwörter im Text suchen

- Satzmelodie: Fragen
- Vokale: kurz und lang

- Familienbezeichnungen
- Freizeitaktivitäten
- Genitiv-*s* bei Personennamen
- Nomen im Plural
- Possessivartikel: *mein(e), dein(e), ...*
- Temporalangaben: Uhrzeit
- Verneinung: *kein(e), nicht*
- *möchte* + Verb im Infinitiv

- auf Emotionen achten
- Bildinformationen nutzen
- selektiv hören und auf bestimmte Informationen achten

- Aussprache *ö* und *ü*

Inhaltsverzeichnis Kursbuch

	Handlungsfelder	Kommunikation

- Nachbarschaftshilfe
- Organisation des Arbeitstages
- Einkauf von Alltagsprodukten

- Lebensmittel benennen
- etwas ausleihen
- über Vorlieben sprechen
- einen Arbeitstag beschreiben
- eine Kurznachricht verstehen
- sich im Supermarkt orientieren und einkaufen
- Angebote und Preise verstehen
- an der Kasse etwas reklamieren

- Arbeitssuche
- Kommunikation im Unterricht
- Orientierung im öffentlichen Raum

- Personen beschreiben
- Fähigkeiten, Interessen und Möglichkeiten angeben
- die Meinung sagen
- im Kurs kommunizieren
- öffentliche Gebäude benennen und ihre Lage angeben
- Verkehrsmittel benennen
- nach dem Weg fragen und eine Wegbeschreibung verstehen
- Anweisungen geben

Inhaltsverzeichnis Arbeitsbuch

Wortschatz und Strukturen	Strategien	Phonetik
▪ Lebensmittel und Alltagsprodukte ▪ Preise und Mengenangaben ▪ Negativartikel im Nom.: *kein, keine* ▪ unbestimmter und Negativartikel im Akk.: *(k)einen, (k)ein, (k)eine* ▪ Nullartikel bei Lebensmitteln ▪ *es gibt* + Akkusativ ▪ trennbare Verben ▪ das Verb *mögen* ▪ Lokalangaben: *rechts / links, …* ▪ Personalpronomen im Text: *er, es, sie*	▪ mit W-Fragen einen (Hör-)Text erschließen ▪ Textstruktur erkennen ▪ Weltwissen nutzen ▪ selektiv hören und auf bestimmte Informationen achten	▪ E-Laute
▪ Farben und Eigenschaften ▪ Verkehrsmittel ▪ Modalverb *können*: Fähigkeiten und Möglichkeiten ▪ Lokalangaben: *in, an, auf, von, zum / zur* ▪ Imperativ (*Sie*- und *du*-Form) ▪ bestimmter Artikel im Akkusativ ▪ das Pronomen *man*	▪ Schlüsselwörter im Text suchen ▪ Weltwissen nutzen und Vermutungen anstellen	▪ E-Laute: schwaches ə

Nordsee

Sylt

Ostsee

Kieler Bucht

Fehmarn

Rügen

Polen

Helgoland

Kiel

Rostock

OSTFRIESISCHE INSELN

Lübeck

Bremerhaven

Hamburg

Müritz See

Ems

Oldenburg

Bremen

Weser

Elbe

Oder

Niederlande

Osnabrück

TEUTOBURGER WALD

Wolfsburg

Hannover

Aller

Berlin

Bielefeld

Weser

Hildesheim

Braunschweig

Potsdam

Münster

Leine

Salzgitter

Magdeburg

Hamm

Dortmund

HARZ

Cottbus

Moers

Essen

Göttingen

Krefeld

Duisburg

Hagen

Neiße

Mönchen-
gladbach

Düsseldorf

Wuppertal

Halle

Elbe

Solingen

Remscheid

Kassel

Leipzig

Köln

Leverkusen

Bergisch-
gladbach

Siegen

Dresden

Aachen

Fulda

Werra

THÜRINGER WALD

Erfurt

Jena

Chemnitz

Bonn

Gera

Belgien

Koblenz

Wiesbaden

Frankfurt am Main

Deutschland

Luxemburg

Mosel

Rhein

HUNSRÜCK

Offenbach

Mainz

Main

Tschechische
Republik

Trier

Darmstadt

Main

Würzburg

Saar

Ludwigshafen

Mannheim

STEIGERWALD

Fürth

Nürnberg

Saarbrücken

Heidelberg

Jagst

OBERPFÄLZER WALD

Karlsruhe

Heilbronn

Pforzheim

Stuttgart

Regensburg

Tübingen

SCHWÄBISCHE ALB

Ingolstadt

Donau

Linz

Donau

Wien

Reutlingen

Ulm

Augsburg

St. Pölten

Freiburg

SCHWARZWALD

Neckar

Lech

Inn

Neusiedler

München

Salzach

Eisenstadt

Frankreich

Schaffhausen

Bodensee

Salzburg

Basel

Frauenfeld

Österreich

Liestal

Aarau

St Gallen

Bregenz

Delemont

Zürich

Herisau

NIEDERE TAUERN

Neuchâtel

Solothurn

Zug

Vaduz

Liechtenstein

Inn

Innsbruck

HOHE TAUERN

Mur

Graz

Lac de Neuchâtel

Bern

Luzern

Schwyz

Lausanne

Fribourg

Chur

Klagenfurt

Lac Léman

BERNER ALPEN

Finsteraarhor

Schweiz

Drau

Slowenien

Genève

Sion

Bellinzona

Italien

Matterhorn

Monte Rosa

Ticino

Adda

Piave

Kro

1 | Herzlich willkommen!

1 _1 | Hören Sie. Welche Städte hören Sie? Suchen Sie auf der Karte.

2 | Städte

1 _2 | a | Hören Sie und ergänzen Sie die Buchstaben.

1. B___sel | Dr___sden | Berl___n | W___n | S___lingen | T___bingen

2. H___mburg | L___nz | B___nn | St___ttgart | K___ln | M___nchen

3. ___iel | ___eipzig | ___uppertal | ___rankfurt | ___alzburg | ___ürich

b | Überprüfen Sie mit der Karte. Lesen Sie dann die Städte vor.

c | Wie spricht man die markierten Buchstaben aus? Schlagen Sie in der Tabelle auf Seite 186 nach.
Verbinden Sie die Laute und die Städte.

Aachen, Basel ○

○ Kiel, Berlin ○

[t] ○   ○ [k]

○ Leipzig, Mainz ○

[aː] ○   ○ [∫]

○ Stuttgart, Tübingen ○

[aɪ̯] ○   ○ Stuttgart, Braunschweig ○   ○ [iː]

○ Köln, Zwickau, Hamburg ○

3 | Ihre Sprache

a | Wie heißen die Städte in Ihrer Sprache?

Dresden

Hamburg

Berlin

Köln

Wien

b | Welche Städte heißen in Ihrer Sprache anders? Suchen Sie Beispiele.

c | Vergleichen Sie im Kurs.

1 Alles neu

1 Hallo! Guten Tag!

1_3 **a** | Begrüßungsspiel: Hören Sie.

b | Hören Sie noch einmal
und sprechen Sie mit.

c | Lesen Sie die Begrüßungen. Was kennen Sie?
Suchen Sie ein passendes Foto.

d | Wie sagen Sie in Ihrem Land *Hallo, Guten Tag,* …?
Gestalten Sie das leere Feld.

→ AB 1

A   Guten Tag! Guten Tag! Guten Tag!

A   Grüß Gott!

A   Guten Tag!

A   Hallo!

A   Servus!

A/B   Servus! Auf Wiedersehen! Tschüss!

A/B   Servus! Auf Wiedersehen! Tschüss!

A/B   Tschüüüüs!

Hallo
Guten Tag
Servus
Auf Wiedersehen

B   Guten Tag! Hallo! Grüß Gott!

B   Guten Tag!

B   Hallo!

B   Servus!

B   Und … tschüss!

Kommunikative Lernziele:

- sich begrüßen und verabschieden
- sich und jemanden vorstellen
- Fragen zur Person stellen und beantworten (Name, Herkunft, Wohnort)
- *du* und *Sie* unterscheiden
- nachfragen, wenn man etwas nicht versteht
- buchstabieren
- bis 100 zählen

Wortschatz und Strukturen:

- Namen von Personen, Ländern, Kontinenten
- Alphabet
- Zahlen von 1–100
- erste Nomen mit dem bestimmten Artikel: *der, das, die*
- erste Verben: *sein, heißen, kommen aus, wohnen in*
- Aussagesätze
- W-Fragen: *Wie? Wo? Woher? Wer?*
- Wortakzent

2   Wir sind da.

1 ⊙_4   a | Zur Einstimmung:
Sehen Sie das Bild an und hören Sie
die Geräusche.

1 ⊙_5   b | Hören Sie jetzt den Dialog.
Welche Überschrift passt? Kreuzen Sie an.

☐   Hallo Max!
☐   Die neue Wohnung
☐   Auf Wiedersehen!

c | Hören Sie noch einmal.
Wie fühlen sich Max und Lisa? Kreuzen Sie an.

☐ gut ☐ schlecht

☐ gut ☐ schlecht

3 Neue Wörter

1 ⊙_6 a | Hören Sie und lesen Sie. Welche Wörter kennen Sie?

> das Haus | die Wohnung | der Balkon | das Fenster | die Tür | die Klingel | der Mann |
> die Frau | das Kind | das Auto | der Vogel | der Hund | das Handy | die Lampe

b | Suchen Sie im Bild. Zeigen Sie und sprechen Sie.

Wo ist das Haus?

Da ist das Haus.

Der bestimmte Artikel

Da ist **der** Balkon.
Da ist das Haus.
Da ist **die** Wohnung.

c | Sortieren Sie bitte.

der Balkon	das Haus	die Wohnung
der ...		

➡ AB 2–6

4 Die neue Nachbarin

a | Sehen Sie das Bild an. Wer sind die Personen?

1 💿_7 b | Hören Sie. Was sagt Lisa Vogel, was sagt die Nachbarin? Kreuzen Sie an.

c | Wie ist die Nachbarin Frau Montes? Kreuzen Sie an.

Die Nachbarin ist ☐ nett.
☐ unsympathisch.

	Lisa Vogel	Inés Montes
Guten Tag.		✗
Tag.		
Willkommen.		
Ich bin …		
Das ist Max.		
Hallo Max.		
Woher kommen Sie?		
Aus Frankfurt.		

↪ AB 7

5   Ich bin . . . und wer sind Sie?

1 _8   a | Hören Sie und lesen Sie.

1. A   Guten Tag, ich bin *Lola Campos*. Und wie heißen Sie?
    B   Guten Tag, ich heiße *Saad Abdallah*. Woher kommen Sie?
    A   Ich komme aus *Peru*. Und Sie?
    B   Ich komme aus *dem Irak*.
    A   Aha, interessant!

2. A   Hallo, ich bin *Svetlana Palkova* und komme aus *Russland*. Und wer sind Sie?
    B   Ich bin *Francesca Rossi* und komme aus *Italien*. Hallo *Svetlani*.
    A   Nein, *Svetlana* bitte.
    B   Ah, Entschuldigung, *Svetlana*.

3. A   Mein Name ist *John White*.
    B   Wie bitte?
    A   Ich heiße *John, John White*.
    B   Ah ja, *John White*, freut mich. Woher kommen Sie?
    A   Aus *Großbritannien*.

> **Sich vorstellen**
>
> Wie heißen Sie? /
> Wer sind Sie?
> Ich heiße … / Ich bin … /
> Mein Name ist …
> Woher kommen Sie?
> Ich komme aus
> Peru / Russland / Italien /
> aus der Türkei / aus dem Irak / …

b | Wie heißt Ihr Land auf Deutsch?
Zeigen Sie Ihrer Lernpartnerin / Ihrem Lernpartner Ihr Land auf der Weltkarte.

Afghanistan	Kasachstan
Algerien	Kenia
Argentinien	Litauen
Äthiopien	Marokko
Brasilien	Mexiko
China	Nigeria
Dänemark	Polen
Frankreich	Portugal
Griechenland	Russland
Indien	Spanien
der Irak	die Türkei
Italien	die Ukraine
Japan	die USA
Kanada	

c | Lesen Sie die Dialoge mit Ihren Angaben.

➡ AB 8 – 10

6 Hallo 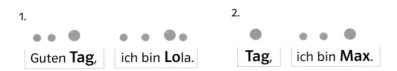, hallo  – das klingt so!

1 ⊙_9 a | Hören Sie. Hören Sie dann noch einmal und sprechen Sie mit.

1.

| Guten **Tag,** | ich bin **Lo**la. |

2.

| **Tag,** | ich bin **Max**. |

3.

| Hal**lo,** | ich bin **Jan**. | Und **wie** | heißen **Sie**? |

4.

| Ma**rie**! | Ich **hei**ße | Marie **Kern** | und ich **komm**e | aus Lu**zern**. |

5.

| Und **Sie**? |

Silben und Wortakzent

Wörter haben Silben.
Eine Silbe ist betont.
Eu·**ro**·pa ● ⬤ ●

---

1 ⊙_10 b | Hören Sie und markieren Sie den Wortakzent.

Guten Tag, woher kommen Sie?

Aus Eu·**ro**·pa. | Aus **Deutsch**·land. | Aus **A**·fri·ka. | Aus **Chi**·na. | Aus der **Tür**·kei. |

Aus dem **I**·rak. | Aus Pe·**ru**. | Aus der U·**kra**·i·ne. | Aus I·**ta**·li·en. | Aus **A**·si·en. |

Aus A·**me**·ri·ka. | Aus **Aus**·tra·li·en | …

c | Lesen Sie vor und klopfen Sie die betonte Silbe.

---

7 Begrüßungsrunde

Stellen Sie sich im Kurs vor.

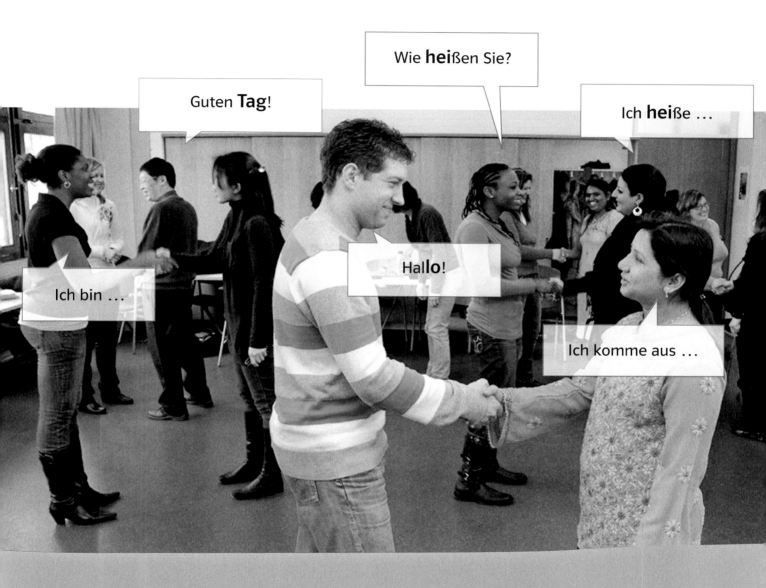

8 Im Sportkurs

a | Sehen Sie das Bild an. Was machen die Kinder? Wie ist die Atmosphäre?

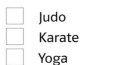

☐ Judo   ☐ aggressiv
☐ Karate   ☐ fröhlich
☐ Yoga   ☐ traurig
☐ Tai-Chi

1 ⊙_11   **b |** Sind Ihre Vermutungen richtig? Hören Sie.

c | Hören Sie noch einmal. Wer sind die Personen?   Paul ist ○   ○ der Sohn von Lisa Vogel.
Verbinden Sie bitte.   Max ist ○   ○ der Sohn von Annette Frey.
                                                   Ahmed ist ○   ○ der Sportlehrer.

d | Was sagt Ahmed? Was sagt Max?
Ordnen Sie den Dialog.

> Ich heiße Ahmed. | Wie heißt du denn? | Max. | Hallo Max.

_____

_____

_____

_____

9 Wer sind Sie und wer bist du?

Wer sagt was? Lesen Sie und ordnen Sie die Sprechblasen zu.

> Hallo, ich heiße Tamara.
> Und wer seid ihr?

> Ich heiße Maurits.

> Bernd Findeisen. Guten Tag.

> Ich heiße Robert.
> Und wer bist du?

> Und ich bin
> Klaus Holstein, hallo.
> Wir sind Kollegen.

> Guten Tag.
> Claudia Nolte.
> Und wer sind Sie?

> Hi, ich bin Sven.
> Und das ist Felix.
> Wir sind neu hier.

➥ AB 11
➥ IS 1/1

Sie oder du?

Wer bist du?	Ich bin Sven.	Wer sind Sie?	Ich bin Sven Möller.
Wie heißt du?	Ich heiße Robert.	Wie heißen Sie?	Ich heiße Robert Wagner.

Sie oder ihr?

Wer seid ihr?	Ich bin Max und das ist Paul. Wir sind hier neu.
Wer sind Sie?	Ich bin Lisa Vogel und das ist Annette Frey.

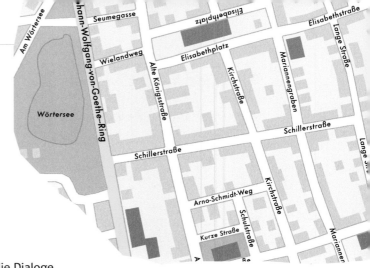

10 Ganz nah

1 ◉_12 a | Sehen Sie die Karte an. Wer wohnt wo?
Hören Sie und suchen Sie.

- Max und Lisa Vogel wohnen am …
- Annette und Paul Frey wohnen in der …

b | Wer sagt was? Hören Sie noch einmal. Ergänzen Sie die Dialoge.

> Wo wohnen Sie | Und Sie | Wo wohnst du | Und du | Tschüss | Wiedersehen

Max:	Super, das Training, was?
Paul:	Ja. Und Ahmed ist auch nett.
Max:	Mhm.

Lisa Vogel: ⌞_____⌟ ?

Annette Frey: In der Schillerstraße. ⌞_____⌟ ?

Lisa Vogel: Am Elisabethplatz.

Annette Frey: Ah ja, ganz nah.

Max: ⌞_____⌟ ?

Paul: In der Schillerstraße. ⌞_____⌟ ?

Max: Am Elisabethplatz.

Paul: Hey, das ist ganz nah.

Max: Ja? Okay. Bis nächste Woche.

Paul: Bis nächste Woche ⌞_____⌟ !

Annette Frey: Auf Wiedersehen!

Lisa Vogel: ⌞_____⌟ !

> **Den Wohnort angeben**
>
> Wo wohnen Sie?
> Ich wohne in München.
> in der …straße.
> am …platz.
>
> Wo woht ihr?
> Wir wohnen in Leipzig.

➡ AB 12–13

11 Wo wohnen Sie? Wo wohnst Du?

Fragen Sie im Kurs.

- Wo wohnen Sie? | Wo wohnst du? | Wo wohnt ihr?
- Ich wohne in der …straße | in der …allee | am …platz.
  Wir wohnen in Stuttgart | Leipzig | Düsseldorf | …
- Aha. | Ah ja.

12 Wie bitte? Buchstabieren Sie bitte.

 _13 **a |** Wo ist das? Hören Sie und lesen Sie.

- Ich glaube, das ist im Hotel | auf dem Rathaus | auf der Bank.

E L M K L A K I

Wie bitte?
Buchstabieren Sie bitte.

 _14 **b |** Hören Sie das Alphabet und sprechen Sie nach.

Aa	Bb	Cc	Dd	Ee	Ff	Gg	Hh	Ii
[aː]	[beː]	[tseː]	[deː]	[eː]	[ɛf]	[geː]	[haː]	[iː]
Jj	Kk	Ll	Mm	Nn	Oo	Pp	Qq	Rr
[jɔt]	[kaː]	[ɛl]	[ɛm]	[ɛn]	[oː]	[peː]	[kuː]	[ɛr]
Ss	Tt	Uu	Vv	Ww	Xx	Yy	Zz	
[ɛs]	[teː]	[uː]	[faʊ]	[veː]	[ɪks]	[ˈʏpsilɔn]	[tsɛt]	
ß	Ää	Öö	Üü					
[ɛstsɛt]	[ɛː]	[øː]	[yː]					

 c | Sprechen Sie im Rhythmus. Jeder spricht einen, zwei, drei, vier, ... Buchstaben, dann spricht der Nächste.

- A B – C D – E F – G H – ...
- A B C – D E F – G H I – ...
- A B C D – E F G H – ...

d | Vergleichen Sie Ihr Alphabet mit dem deutschen. Welche Buchstaben gibt es in Ihrer Sprache nicht?

Nachfragen

Wie bitte?
Buchstabieren Sie bitte.
Entschuldigung, wie heißt das auf Deutsch?
Noch einmal bitte!

 e | Buchstabieren Sie Ihren Namen und den Namen Ihrer Lernpartnerin / Ihres Lernpartners.

⇒ AB 14
⇒ IS 1 / 2

13 Zahlen 1–100

1 ◉_15 Hören Sie die Zahlen und sprechen Sie nach.

0 null			
1 eins	11 elf	21 einundzwanzig	40 vierzig
2 zwei	12 zwölf	22 zweiundzwanzig	50 fünfzig
3 drei	13 dreizehn	23 dreiundzwanzig	60 sechzig
4 vier	14 vierzehn	24 vierundzwanzig	70 siebzig
5 fünf	15 fünfzehn	25 fünfundzwanzig	80 achtzig
6 sechs	16 sechzehn	26 sechsundzwanzig	90 neunzig
7 sieben	17 siebzehn	27 siebenundzwanzig	100 hundert
8 acht	18 achtzehn	28 achtundzwanzig	
9 neun	19 neunzehn	29 neunundzwanzig	
10 zehn	20 zwanzig	30 dreißig	

ein ^{und} zwanzig
21

➡ AB 15–16

14 Wählen Sie eine Aufgabe.

- Zählen Sie ohne 3. Klopfen Sie bei jeder dritten Zahl.
- Zählen Sie 2, 4, 6, …
- Würfeln Sie mit zwei Würfeln. Sagen Sie die Zahl.
- Diktieren Sie Ihrer Lernpartnerin / Ihrem Lernpartner zehn Zahlen.

15 Auf dem Amt

1 🔘_16   Welche Zahlen hören Sie? Notieren Sie bitte.

Situation 1	9	Situation 6	
Situation 2		Situation 7	
Situation 3		Situation 8	
Situation 4		Situation 9	
Situation 5		Situation 10	

16 Persönliche Zahlen

a | Ergänzen Sie das Formular.

> 87654 | 08347/62350 | 9

Vorname: Lisa

Familienname: Vogel

Straße/Hausnummer: Elisabethplatz └─────────────┘

Postleitzahl/Ort: └───────────┘ Neustadt

Telefon: └─────────────────────────┘

b | Lesen Sie die Zahlen laut.

Hausnummer ... | Postleitzahl ... | Vorwahl und Telefonnummer ...

➥ IS 1 / 4

17 Fragen zur Person

a | Was passt? Verbinden Sie Frage und Antwort.

Wie ist Ihr Vorname? ○   ○ 030/8535972
Wo wohnen Sie? ○   ○ Yasemin
Wie ist die Postleitzahl? ○   ○ Y A S E M I N
Wie ist die Telefonnummer? ○   ○ Berlin-Wilmersdorf
Wie bitte? Buchstabieren Sie bitte. ○   ○ 10715

> **W-Fragen**
>
> **Wer** sind Sie?
> **Wie** heißen Sie?
> **Wo** …
> **Woher** …
>
> W-Fragen haben oft ↘ Melodie.
> W-Fragen mit ↗ Melodie klingen
> sehr nett.

b | Was können Sie noch fragen? Ergänzen Sie.

_____

_____

➥ AB 17 – 18

 _17 c | Wie klingen die Fragen? Hören Sie und zeigen Sie ein passendes Kärtchen.

nett   neutral   nicht nett

d | Und jetzt fragen Sie. Nett oder nicht nett? Die anderen zeigen das Kärtchen.

18 Adresse, Telefon, E-Mail

a | Lesen Sie. Welche Informationen finden Sie?
Ergänzen Sie die Tabelle.

Karatekurs 10.09.–30.6.

Name	Adresse
Paul Frey	Schillerstraße 38 87657 Neustadt
Max Vogel	Elisabethplatz 9 87654 Neustadt

Gustav Reiter
Mozartstraße 36/2
A-5020 Salzburg
Österreich

AHMED ISMET

Trainer für Karate und
Tai-Chi
mobile: 0163/4695678

Leipzig
Sebastian-Bach-Str.

Von	grossmann@gmx.de
Betreff	

Wir sind umgezogen. Unsere neue
Adresse ist: Finkenweg 13, 65817
Eppstein, 06198/7213

Anke und Tobias Grossmann

Name	Wohnort	Straße	Land	Telefon	Handy	E-Mail
Max Vogel						

b | Ergänzen Sie die Tabelle mit Ihren Angaben.

c | Ratespiel: Wer ist das? Spielen Sie.

- Er / Sie kommt aus …   Die Telefonnummer ist …
          wohnt in …   Die E-Mail-Adresse ist …
- Das ist Paul Frey. | Das sind Anke und Tobias.

➥ IS 1/3

Jemanden vorstellen

Das ist Ahmed Ismet. Er ist Karatetrainer.
Das ist Annette Frey. Sie wohnt in Neustadt.

Das sind Lisa und Max. Sie wohnen hier.

19 Wählen Sie eine Aufgabe.

- Gestalten Sie eine Visitenkarte mit Ihren Angaben.
  Tauschen Sie Ihre Karten aus und stellen Sie eine Person vor.

- Ein Formular für Ihren Deutschkurs: Welche Kategorien sind wichtig?
  Fragen Sie im Kurs und machen Sie eine Kursliste.

- Sie sind umgezogen. Schreiben Sie eine E-Mail mit Ihrer neuen Adresse.

Das Verb *sein*

ich bin Max
du bist Paul
er / sie ist nett
wir sind neu
ihr seid aus Neustadt
sie sind da

Sind Sie die Nachbarin?

Aha! Hmmm!

1 [_18] **a |** Hören Sie das Gespräch.

A Hallo, du!	B Jaaa?
A Du!	B Hmmm! Was?
A Da! Das Haus!	B Aha! Naja …
A Ist doch super!	B Hm. Ja ja!
A Und das Auto …	B Oh! Wow!

b | Spielen Sie das Gespräch. Variieren Sie. (z. B. Da! Der Hund!)

c | Wählen Sie ein Wort und sprechen Sie es laut.

Ja! | Aha! | Naja … | Hm. | Oh! | Jaja … | Wow!

d | Sprechen Sie jetzt alle durcheinander – jeder spricht „sein" Wort.
Variieren Sie die Emotionen.

Begrüßung – international

Wie begrüßen Sie sich in Ihrem Land?
Zeigen Sie es im Kurs.

Elf Wörter sind ein Gedicht

ankommen
das Haus
die neue Wohnung
die Nachbarin ist nett
super

Unsere Weltkarte

Machen Sie eine Kurs-Weltkarte.
Markieren Sie die Länder, aus denen Sie kommen,
und schreiben Sie die deutschen Ländernamen
dazu.

Malen nach Zahlen

Verbinden Sie die Zahlen von eins
bis fünfundvierzig. Was sehen Sie?

einunddreißig •
zweiunddreißig •   dreißig •
dreiunddreißig •
• neunundzwanzig
• achtundzwanzig
siebenundzwanzig •
vierunddreißig •
• sechsundzwanzig
fünfundzwanzig •
vierundzwanzig •
fünfunddreißig •

dreiundzwanzig •

sechsunddreißig •

zweiundzwanzig •

siebenunddreißig •

• vierzig   einundzwanzig •
• achtunddreißig   zweiundvierzig •   • dreiundvierzig
vierundvierzig •   neun •   zehn •   • zwanzig
• acht
• einundvierzig   elf   • neunzehn
• neununddreißig

fünfundvierzig •
eins   • sieben   sechs
drei   • fünf   • achtzehn
zwei •   zwölf   • siebzehn
vier •   • vierzehn
dreizehn •   • sechzehn
fünfzehn •

2 Von früh bis spät

1 Arbeiten rund um die Uhr

a | Sehen Sie die Fotos genau an. Wann arbeiten die Personen?

der Kellner

der Arzt

die Krankenschwester

der DJ

der Lehrer

die Hausfrau

b | Vergleichen Sie.

- Der DJ arbeitet in der Nacht.
- … arbeitet am Vormittag oder am Nachmittag.

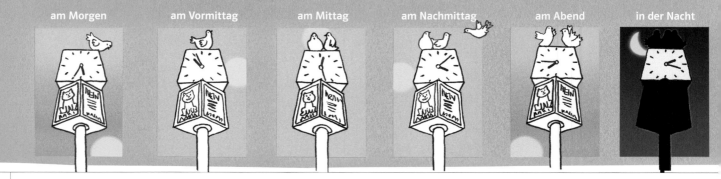

am Morgen   am Vormittag   am Mittag   am Nachmittag   am Abend   in der Nacht

c | Was sind Sie von Beruf? Wann arbeiten Sie? Gestalten Sie das leere Feld.

> Ich bin Taxifahrer.

> Ich bin Lehrer, aber ich arbeite als Taxifahrer.

> Ich bin Lehrerin.

- Ich bin …
- Ich arbeite … | … und … | von früh bis spät.
- Ich arbeite als …
- Ich arbeite noch nicht | zurzeit nicht.
- Ich bin Student | Studentin.

➡ AB 1–3

die Bäckerin   der Taxifahrer   der Ingenieur

die Psychologin

Kommunikative Lernziele:

- über das Befinden sprechen
- jemanden offiziell vorstellen
- den Beruf angeben
- über die Arbeit sprechen
- einen Dienstplan verstehen
- über den Tagesablauf sprechen
- ein Problem benennen

Wortschatz und Strukturen:

- Wochentage
- Berufe, Arbeitsorte, Tätigkeiten
- unbestimmter und bestimmter Artikel
- Temporalangaben: Tageszeiten und Wochentage
- das Verb *haben*
- Ja- / Nein-Frage
- Verben im Präsens
- Satzmelodie: Fragen
- Vokale: kurz und lang

Zusatzmaterial: Zeitschriften, Magazine (Ausklang)

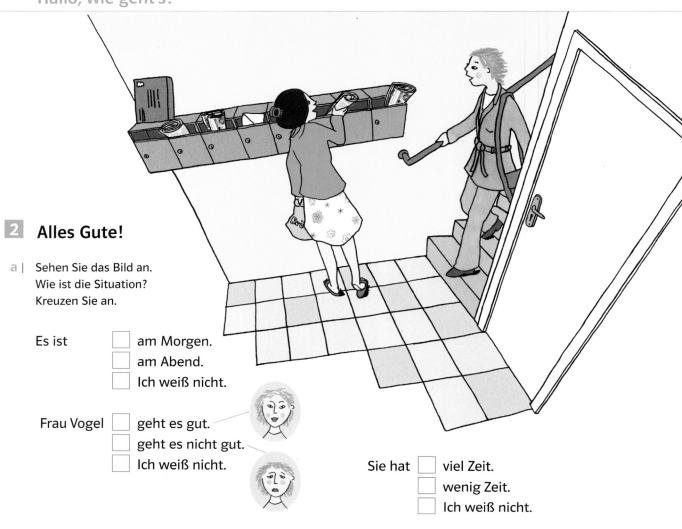

2   Alles Gute!

a | Sehen Sie das Bild an.
Wie ist die Situation?
Kreuzen Sie an.

Es ist ☐ am Morgen.
☐ am Abend.
☐ Ich weiß nicht.

Frau Vogel ☐ geht es gut.
☐ geht es nicht gut.
☐ Ich weiß nicht.

Sie hat ☐ viel Zeit.
☐ wenig Zeit.
☐ Ich weiß nicht.

1 ⊙_19   b | Sind Ihre Vermutungen richtig? Hören Sie jetzt den Dialog.

c | Wo arbeitet Frau Vogel?
Hören Sie noch einmal und kreuzen Sie an.

Frau Vogel arbeitet ☐ im Hotel.
☐ im Krankenhaus.
☐ im Restaurant.

d | Wer sagt was? Ergänzen Sie bitte.

> Gut. Ich muss ins Krankenhaus. |
> Nein, nein. Mein erster Arbeitstag. |
> Alles Gute! | Wie geht's? | Danke. |
> Morgen, Frau Montes.

Inés Montes: Guten Morgen, Frau Vogel.

Lisa Vogel: _____

Inés Montes: _____

Lisa Vogel: _____

Inés Montes: Ach!

Lisa Vogel: _____

Inés Montes: Ah!

Lisa Vogel: _____

3 Gut oder schlecht?

1 🔘_20 a | Hören Sie. Welche Emotion passt? Verbinden Sie bitte.

Wie geht es Ihnen?

Wie geht es dir?

Gut. Und Ihnen? ○

Mir geht's nicht so gut. ○

○ Danke! Mir geht's gut! Sehr gut!

○ Ach, mir geht's schlecht! Sehr schlecht.

○ Na ja ... Es geht.

b | Hören Sie noch einmal und sprechen Sie nach.

Nach dem Befinden fragen

Wie geht es dir? / Wie geht's?
Wie geht es euch? / Wie geht's?
Wie geht es Ihnen? / –

Mir geht es sehr gut / gut / nicht so gut / schlecht / sehr schlecht.
Danke, gut.
Na ja, es geht.

↪ IS 2 / 1

4 Wie geht es Ihnen?

Lesen Sie und fragen Sie im Kurs.

Hallo! Wie geht es euch?

Und wie geht's dir?

Mir geht's gut.

Na ja, es geht.

Guten Morgen, Frau Kumis.
Wie geht es Ihnen?

Guten Abend, Frau Pant.
Wie geht es Ihnen?

Danke, mir geht's gut.

Ach, mir geht's nicht so gut.
Und Ihnen?

↪ AB 4

5 Erste Orientierung

Sehen Sie die Schilder an. Wo ist das? Was verstehen Sie?

➥ AB 5

6 Ein Krankenhausteam

1 __21   a | Hören Sie und lesen Sie die Berufe.

b | Wer gehört zum Krankenhausteam? Sprechen Sie.

> Ein Arzt, eine ...

> Vielleicht eine Psychologin?

- ein Arzt | eine Ärztin
- ein Psychologe |
  eine Psychologin
- ein Krankenpfleger |
  eine Krankenschwester
- ein Polizist | eine Polizistin
- ein Koch | eine Köchin
- ein Sekretär | eine Sekretärin
- ein Krankenwagenfahrer |
  eine Krankenwagenfahrerin
- ein Kellner | eine Kellnerin
- ein Raumpfleger |
  eine Raumpflegerin

c | Kettenspiel: Spielen Sie.

Hier arbeitet ein Arzt. – Hier arbeiten ein Arzt und eine Ärztin. – Hier arbeiten ein Arzt, eine
Ärztin und eine Psychologin. – Hier arbeiten ein Arzt, eine Ärztin, eine Psychologin und ein
Krankenpfleger. – Hier arbeiten ...

➥ AB 6–7

7 Die neuen Kolleginnen und Kollegen

a | Sehen Sie die Bilder an. Wie ist die Situation? Wie sind die Personen?

Die Situation ist ☐ offiziell.   Die Personen sind ☐ freundlich.
               ☐ inoffiziell.   ☐ unfreundlich.

1 💿_22   b | Hören Sie. Wer sind die Personen auf den Bildern?

> **Der unbestimmte und der bestimmte Artikel**
>
> Das ist **ein** Arzt.
> Frank Stiller ist **der** Stationsarzt.
>
> Das ist **eine** Krankenschwester.
> **Die** Krankenschwester heißt Lisa Vogel.
>
> Das ist ein Krankenhausteam.
> Das ist das Team von Lisa Vogel.

Markus Neumann ist ☐ der Krankenpfleger.
                       ☐ der Stationsarzt.

Zohra El Afia ist ☐ die Ärztin.
                  ☐ die Psychologin.

Bettina Becker ist ☐ die neue Krankenschwester.
                  ☐ die Stationsschwester.

Lisa Vogel ist └─────────────────────────────────┘

c | Hören Sie noch einmal. Ordnen Sie die zwei Gespräche.

☐ Und das ist Zohra El Afia. Sie ist die Psychologin hier.

[1] Guten Morgen. Ich bin Lisa Vogel. Ich bin die neue Krankenschwester.

☐ Guten Tag.

☐ Freut mich. Ich bin Markus Neumann.

☐ Lisa Vogel. Angenehm.

☐ Bettina, das ist Frau Vogel. Das ist Frau Becker.

☐ Bettina Becker. Willkommen.

☐ Danke.

➥ AB 8–11

8 Darf ich vorstellen?

a | Sortieren Sie bitte.

sich begrüßen	sich vorstellen	eine Person vorstellen	reagieren	sich verabschieden

Guten Morgen. | Auf Wiedersehen. | Ah ja. | Ich bin … | Freut mich. | Das ist … |
Darf ich vorstellen: … | Angenehm. | Bis später. | Guten Tag. | Mein Name ist …

b | Spielen Sie im Kurs. Variieren Sie.

9 Der Dienstplan

Hier ist der Dienstplan, Frau Vogel.
Am Montag haben Sie …

DIENSTPLAN

Frühdienst ▮ (6:00 – 14:30 Uhr) Spätdienst ▮ (14:00 – 22:30 Uhr) Nachtdienst ▮ (22:00 – 6:30 Uhr) frei

	1	2	3	4	5	6	7
	Montag	Dienstag	Mittwoch	Donnerstag	Freitag	Samstag	Sonntag
Markus Neumann	▮	▮	▮	▮	▮	▮	▮
Bettina Becker	▮	▮	▮	▮	▮	▮	▮
Lisa Vogel	▮	▮	▮				▮
Zohra El Afia	▮	▮	▮	▮	▮	▮	▮

_23 a | Lesen Sie den Dienstplan. Hören Sie. Wann hat Lisa Vogel Nachtdienst? Und wann hat sie frei?

b | Wählen Sie eine Person. Wann hat er / sie Dienst? Notieren Sie.

Spätdienst: *am Montag und am Dienstag*

Frühdienst: _____

Nachtdienst: _____

frei: _____

Temporalangabe: Wochentage

Wann arbeiten Sie?
Am Montag.
Am Dienstag.
Am …

c | Sprechen Sie mit Ihrer Lernpartnerin / Ihrem Lernpartner.

▪ Wann hat … Frühdienst?

▪ Hat … am Montag Nachtdienst?

▫ Am … und am…

▫ Ja, er / sie hat am Montag Nachtdienst.
  Nein, er / sie hat am Dienstag Nachtdienst.

➥ AB 12

➥ IS 2 / 2

> **Ja- / Nein-Fragen**
>
> Arbeitet Herr Neumann im Krankenhaus?   Ja, er arbeitet im Krankenhaus.
> Ist Herr Neumann Arzt?   Nein, er ist Krankenpfleger.
> Hat Bettina Becker am Freitag frei?   Ja, am Freitag hat sie frei.
>
> Ja- / Nein-Fragen haben oft ↗ Melodie.

10 Offiziell oder privat?

1 ◉_24 **a |** Hören Sie. Wie ist die Melodie: ↗ oder ↘? Markieren Sie bitte.

○ Wie geht es Ihnen? ○

○ Arbeiten Sie zu Hause? ○

○ Ist die Arbeit stressig? ○

○ Wo arbeiten Sie? ○

○ Wo arbeiten Sie? ○

b | Wer stellt die Fragen: die nette Nachbarin oder die nette Ärztin?
Hören Sie noch einmal und verbinden Sie.

1 ◉_25 **c |** Hören Sie jetzt die Dialoge. Spielen Sie dann die Ärztin und die nette Nachbarin.
 Variieren Sie.

▪ Was sind Sie von Beruf?

▪ Sind Sie Sekretärin | Musiker?

▪ Arbeiten Sie auch nachts?

▪ Wann haben Sie frei | Nachtdienst?

▪ Wann schlafen Sie?

▪ …

> **Satzmelodie: Fragen**
>
> ↗ Melodie ist freundlich / höflich / nett.
> ↘ Melodie ist offiziell.
>
> ➥ AB 13 – 16

11 Partnerinterview

a | Sprechen Sie mit Ihrer Lernpartnerin / Ihrem Lernpartner über Ihre Arbeit.

- Arbeiten Sie im Krankenhaus?
im Büro?
im Hotel?
im Restaurant?
im Supermarkt?
in der Schule?
zu Hause?
bei Aldi | bei Bosch | …?

- Sind Sie …? | Was sind Sie von Beruf?
- Arbeiten Sie nachts | am Wochenende | …?
- Haben Sie viel Arbeit | viel Stress | …?
- Wann haben Sie frei | Dienst | …?
- Wie ist die Arbeit?
- Ist die Arbeit interessant oder langweilig?
ruhig oder stressig?

> **Das Verb haben**
>
> ich habe Zeit
> du hast Stress
> er / sie hat frei
> wir haben Dienst
> ihr habt frei
> sie haben Arbeit / keine Arbeit
>
> Haben Sie Zeit?

b | Notieren Sie die Informationen und präsentieren Sie die Ergebnisse.

Ihre Fragen: Antworten:

➥ IS 2 / 3

12 Nachtarbeiter

a | Wie oft arbeiten ein Polizist, ein Bauarbeiter, … nachts?

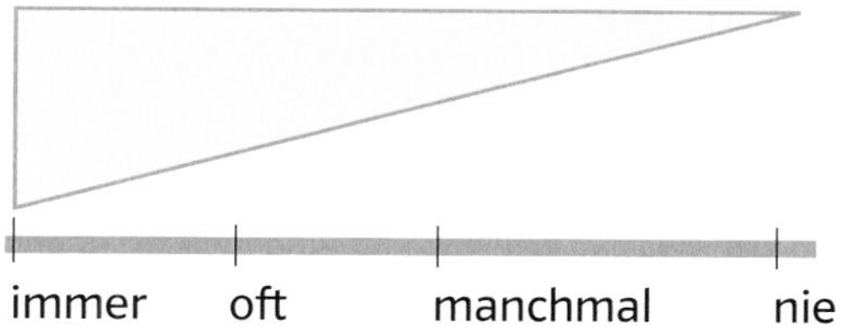

immer   oft   manchmal   nie

der Kellner

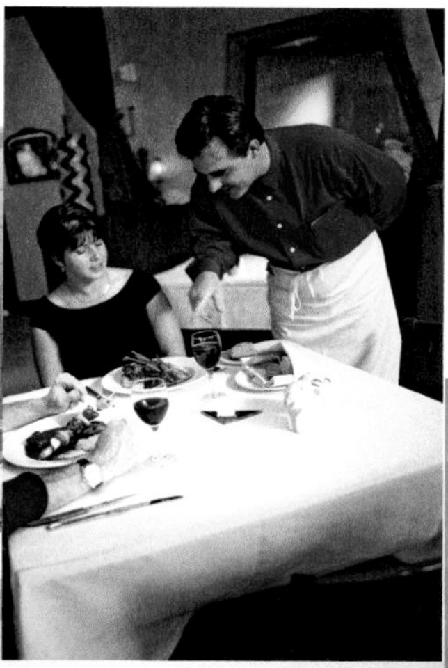

der Bauarbeiter

die Hebamme

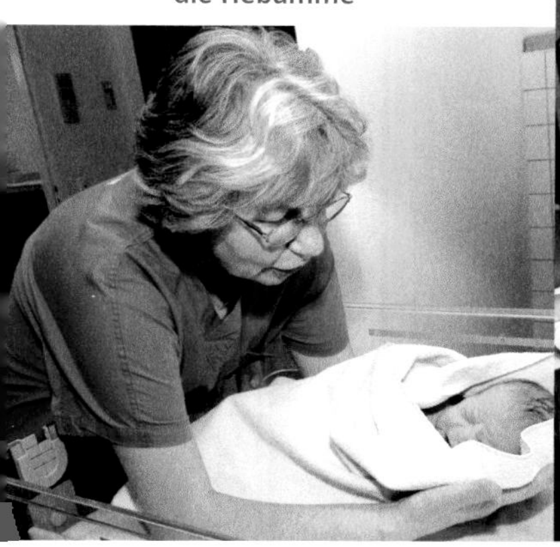

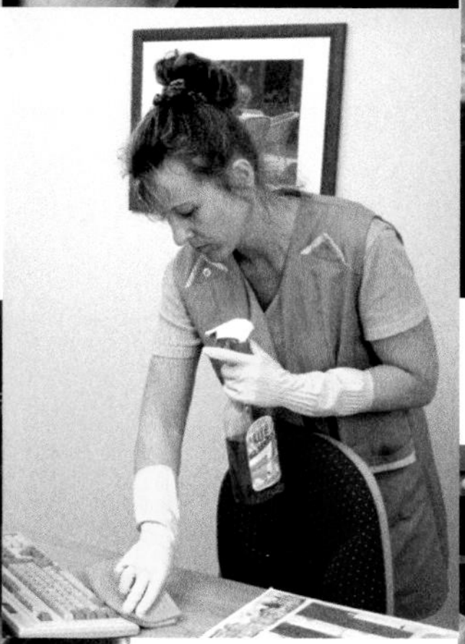

der DJ

der Taxifahrer

die Raumpflegerin

der Bäcker

der Polizist

- Ein Polizist arbeitet oft nachts.
- Ein Bauarbeiter arbeitet …
- …

b | Was sind die Personen von Beruf? Lesen Sie und markieren Sie die Schlüsselwörter.

Nachtarbeiter über ihren Beruf

Matthias Schenk: „Ich arbeite gern nachts. Auf den Straßen sind nur wenige Autos. Die Menschen brauchen oft Taxis. Aber leider habe ich nur wenig Zeit für meine Familie."

Anton Kress: „Ich arbeite gern nachts. Mein Biorhythmus ist so. Ich mache Musik in Clubs und Diskotheken, eine tolle Mischung aus Jazz, Techno und Soul. Nachts bin ich immer besonders kreativ. Das Problem ist: Meine Freundin macht viel Sport – Volleyball, Tennis, Skaten, und ich bin oft müde."

Giulia Lorenzo: „Am Wochenende arbeite ich manchmal bis 6 Uhr früh. Ich serviere Cola, Wein, Bier und Essen, kassiere und wische ständig und überall. Der Job ist hart, viele Gäste, viel Stress, aber ich habe auch viel Spaß. Und das Geld ist okay."

Gundula Rausch: „Die Kinder kommen oft am Wochenende und nachts auf die Welt. Ich mag Nachtdienst, es ist ruhig; wenig Hektik, wenige Telefonate, keine Besucher. Aber ich habe langsam Schlafprobleme. Ich schlafe nicht so gut."

▪ Matthias Schenk ist …

c | Lesen Sie noch einmal. Was finden die Personen an Nachtarbeit gut / nicht gut?

	gut 👍	nicht gut 👎
Matthias Schenk		
Giulia Lorenzo		
Anton Kress		
Gundula Rausch		

▪ Matthias Schenk arbeitet gern / oft …
  Er hat viel / wenig …

➥ AB 17

13 Lisa Vogel hat Nachtdienst.

Wann macht sie was? Sprechen Sie.

arbeiten

schlafen

frühstücken

Yoga machen

mit Max spielen

kochen

putzen

telefonieren

einkaufen gehen

fernsehen

- Lisa Vogel   frühstückt   am Morgen.
- Am Vormittag   schläft   sie.
- …   macht   sie Yoga.
- …   geht   sie einkaufen.
- …   sieht   sie fern.

Das Verb im Satz

Lisa Vogel frühstückt am Morgen
Am Vormittag schläft sie.

→ AB 18 – 20

14 Wie ist Ihr Tag?

a | Notieren Sie Tätigkeiten.

morgens	vormittags	mittags	nachmittags	abends

b | Fragen Sie Ihre Lernpartnerin / Ihren Lernpartner.

- Vormittags koche ich. Und Sie / du?
- Ich gehe vormittags einkaufen.
- Was machen Sie / machst du abends?
  Sehen Sie / Siehst du abends fern?
  …

Temporalangabe: Tageszeiten

Wann kochen Sie?
Ich koche morgens / mittags / abends / …
            am Montagmorgen / am Montagvormittag / …

c | Fragen Sie in der Gruppe.

- Was machen Sie / macht ihr …
- Wir arbeiten …

Verben im Präsens

kochen   ich koche, du kochst, er / sie kocht
schlafen   ich schlafe, du schläfst, er / sie schläft
fernsehen ich sehe fern, du siehst fern, er / sie sieht fern

15 Ruhe bitte!

1 🔘_26 a | Sehen Sie das Bild an und hören Sie. Was ist Lisa Vogels Problem?
Kreuzen Sie an.

Lisa Vogel ☐ hat frei.
☐ ist fit.
☐ ist müde.

Sie muss ☐ schlafen.
☐ arbeiten.
☐ kochen.

b | Hören Sie noch einmal. Was passt zu Lisa Vogel, was passt zu Jan?
Sortieren Sie bitte.

müde sein | Krankenschwester sein | Musik hören | Saxofon spielen | Nachtdienst haben | DJ sein
| im Krankenhaus arbeiten | in der Disco arbeiten | Musik studieren | einen Salsakurs machen

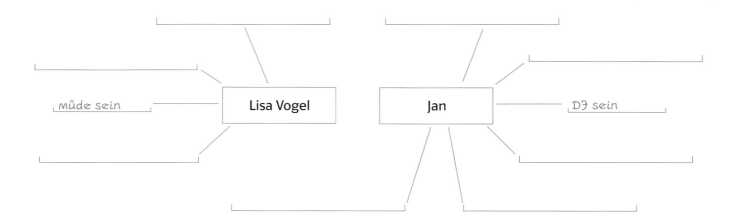

Lisa Vogel

müde sein

Jan

DJ sein

16 Ruhestörung

Lesen Sie den Chat. Was ist das Problem? Wann sind Ruhezeiten? Suchen Sie die Informationen im Text.

> **franzi43:** Ich bin vor zwei Monaten umgezogen. Die Wohnung ist super, die Nachbarn okay, nur ein Nachbar stresst: lautes Fernsehen (Actionfilme!) bis in die Nacht, laute Musik (bum, bum, bum) schon früh am Morgen, jeden Sonntag Besuche … ich habe schlechte Laune und bin einfach nur müde ☹

> **schmitt:** Musik hören ist ja okay, aber so laut, das muss nicht sein! Es gibt doch Ruhezeiten.

> **marco:** Klingel doch bei deinem Nachbarn und sprich mit ihm, vielleicht ist er ja nett.

> **hausmeister:** Hallo! Dafür gibt es ein Gesetz:
> Die allgemeinen Ruhezeiten muss jeder einhalten. Zu den allgemeinen Ruhezeiten zählt die Zeit von 13 bis 15 Uhr und die Zeit von 23 bis 7 Uhr. Je nach Wohnort kann die Ruhezeit auch länger sein.

> **pegasus:** In unserem Haus sind die Ruhezeiten mittags von 12 bis 15 Uhr und nachts von 22 bis 8 Uhr. Das ist ganz klar geregelt!

17 Wählen Sie eine Aufgabe.

- ▪ Schreiben Sie einen kurzen Steckbrief zu Lisa Vogel.

- ▪ Sie machen ein Interview mit Jan. Sammeln Sie Fragen.

- ▪ Spielen Sie eine Szene: Es ist Ruhezeit. Der Nachbar ist zu laut. Sie klingeln.

- ▪ Ruhe bitte! | … ist zu laut. | Von … bis … ist Ruhezeit.
- ▪ Ich muss schlafen | arbeiten | …
- ▪ Ich bin müde. | Mir geht es schlecht.
- ▪ Oh, Entschuldigung!

18 Wochenplan

1 🔘_27 **a |** Hören Sie. Markieren Sie: lang (_) oder kurz (.)?

M**o**ntag | D**ie**nstag | M**i**ttwoch | D**o**nnerstag | Fr**ei**tag | S**a**mstag | S**o**nntag
k**o**chen | sp**ie**len | M**i**ttagessen mit P**i**t | Y**o**ga | N**a**chtdienst | P**o**st von Tom | fr**ei**

b | Welche Vokale passen zusammen? Ergänzen Sie. Lesen Sie dann vor.

Montag: _Yoga_, Dienstag: _____,

Mittwoch: _____, Donnerstag: _____,

Freitag: _____, Samstag: _____,

Sonntag: _____

Vokale

lang: M**o**ntag, D**ie**nstag
kurz: D**o**nnerstag, M**i**ttwoch

Der Wortakzent ist auf dem Vokal.

 ## Meine Arbeit und ich

Machen Sie ein persönliches Bildlexikon zu Ihrer Arbeit.

- Suchen Sie in Zeitschriften oder im Internet (z.B. unter www.biz.de) Fotos zu Ihrem Beruf, Ihrer Arbeit und Ihrem Arbeitsplatz.
- Schneiden Sie die Fotos aus und kleben Sie sie ins Buch.
- Notieren Sie wichtige Wörter auf Deutsch.

FOKUS LANDESKUNDE

In Deutschland sprechen die Leute viel über die Arbeit. Aber sie sagen nicht gern, wie viel Geld sie verdienen.

→ IS 2/4

Am Arbeitsplatz sagt man meistens „Sie" zu den Kollegen. Zu den Vorgesetzten sagt man in der Regel immer „Sie".

Projekt: Berufe in meiner Straße

- Welche Berufe „sehen" Sie (Häuser, Autos, Schilder)?
- Wann und wo arbeiten diese Personen?
- Was machen sie?

Arbeiten Sie allein, zu zweit oder in der Gruppe.
Machen Sie Fotos / Zeichnungen / Notizen.

Spiel: Wer ist Frau / Herr Schlecht?

a | Schreiben Sie Kärtchen und verteilen Sie sie.

Ach danke, ganz gut! ☺	Sehr gut! ☺☺	Wirklich gut. ☺	Super! ☺☺	Mir geht's gut! ☺
Mir geht's sehr gut! ☺☺	Sehr, sehr gut! ☺☺☺	Danke, mir geht's gut. ☺	Naja, es geht. ☺	Ach, mir geht es schlecht! Sehr schlecht! Sehr, sehr schlecht! ☹☹☹
Danke, es geht. ☺	Danke, mir geht's sehr gut! ☺☺☺	Danke, gut! ☺	Danke, sehr gut! ☺☺	Super! Mir geht's sehr, sehr gut! ☺☺☺☺

b | Fragen Sie: Wie geht es dir? / Wie geht es Ihnen? Die anderen antworten, wie es auf dem Kärtchen steht. Alle sprechen sehr emotional, mit Mimik und Gestik.

c | Wer ist Frau / Herr Schlecht?

d | Wiederholen Sie das Spiel. Suchen Sie Frau / Herrn Gut.

3 Immer was los!

1 Genug Zeit für …?

a | Sehen Sie die Fotos an. Welches Foto passt zu welcher Kategorie?

Familie und Freunde | Arbeit | Freizeit

fernsehen

telefonieren

ins Kino gehen

Mittagspause machen

spazieren gehen

Rad fahren

b | Wie verbringen Sie Ihre Zeit? Gestalten Sie das leere Feld..

- Ich arbeite viel | immer vormittags | …
- Abends bin ich zu Hause | gehe ich ins Kino | …
- Am Sonntag gehe ich immer …
- …

c | Vergleichen Sie.

Freunde treffen
zu Hause sein

Kommunikative Lernziele:

- über die Familie sprechen
- Beziehung ausdrücken
- Nationalität und Sprache angeben
- die Uhrzeit sagen (offiziell und inoffiziell)
- Aktivitäten am Wochenende planen
- Wunsch ausdrücken
- sich verabreden

Wortschatz und Strukturen:

- Familienbezeichnungen
- Freizeitaktivitäten
- Genitiv-*s* bei Personennamen
- Nomen im Plural
- Possessivartikel: *mein(e), dein(e),* …
- Temporalangaben: Uhrzeit
- Verneinung: *kein(e), nicht*
- *möchte* + Verb im Infinitiv
- Aussprache *ö* und *ü*

Zusatzmaterial: Familienfotos, Fotos von Freunden (Aufgabe 8)
Prospekte über Freizeitangebote (Aufgabe 19)

2 Ein Telefongespräch

a | Sehen Sie die Bilder an. Was denken Sie: Wer ist der Mann?

Der Mann ist ☐ der Chef   von Lisa Vogel.
☐ der Mann
☐ der Vater

1 ⊙ _28   b | Hören Sie das Telefongespräch. Wie klingen die Personen?

fröhlich | aggressiv | nett | genervt | müde | besorgt

▪ Lisa   klingt …
▪ …   klingt …

c | Hören Sie noch einmal und beantworten Sie die Fragen.

1. Wie heißt Lisas Mann? _____

2. Wo ist er? _____

3. Was macht er dort? _____

Beziehung ausdrücken

Max ist der Sohn von Lisa Vogel.
Max ist Lisas Sohn.
Lisa ist Max' Mutter.

↪ AB 1–2

3 Die Familie Vogel

a | Wer ist wer? Ergänzen Sie bitte.

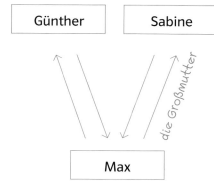 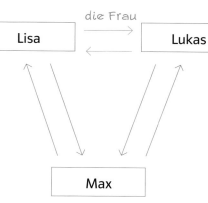 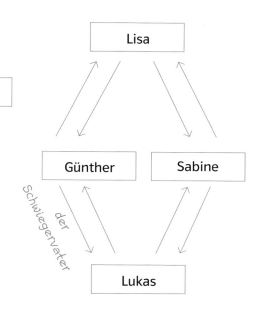

b | Sprechen Sie über Familie Vogel.

- Lisa ist die Tochter von …
- Lisa und … sind verheiratet.
- Lisa und Lukas sind die Eltern von …
- …

➡ AB 3

Die Familie (1)

der Vater – die Mutter (die Eltern)
der Sohn – die Tochter (die Kinder)
der Großvater – die Großmutter (die Großeltern)
der Enkel – die Enkelin (die Enkelkinder)
der Schwiegervater – die Schwiegermutter (die Schwiegereltern)
der Schwiegersohn – die Schwiegertochter

4 Vater und Tochter

a | Wer sagt das? Verbinden Sie bitte.

○ Ich bin 34! ○
○ Und deine neue Arbeit? ○
○ Du bist doch meine Tochter! ○
○ Es geht prima! ○
○ Das ist doch zu viel für dich! ○
○ Ich bin deine Tochter. ○
○ Es ist mein Leben! ○

b | Ergänzen Sie bitte mein / meine, dein / deine.

Lisa sagt:

Das ist ⌐_____⌐ Arbeit.

Lukas ist ⌐_____⌐ Mann.

Das ist ⌐_____⌐ Leben.

Günther sagt:

Das ist ⌐_____⌐ Arbeit.

Lukas ist ⌐_____⌐ Mann.

Das ist ⌐_____⌐ Leben.

Possessivartikel: mein/e, dein/e

Das ist …
mein / dein Mann   (m)
mein / dein Kind   (n)
meine / deine Frau   (f)

Das sind …
meine / deine Eltern (Pl.)

Meine Liebsten – Driss und Leila.

Mama, meine Schwester Rosa und ich in Spanien.

Tante Coro und meine Cousinen Arantxa und Irene – immer lustig!

5 Eine internationale Familie

a | Sehen Sie das Fotoalbum an und hören Sie. Über welche Fotos spricht Carmen? Markieren Sie bitte.

b | Wer gehört zu Carmens Familie und wer zu Driss' Familie? Ergänzen Sie bitte.

Saida? Das ist die Schwester von ⌊ Driss. _____⌋

Thomas? Das ist der Schwager von ⌊_____⌋

Irene? Das ist die Cousine von ⌊_____⌋

Rosa? Das ist ⌊_____⌋

Habib? Das ist ⌊_____⌋

⌊_____⌋ ? ⌊_____⌋

⌊_____⌋ ? ⌊_____⌋

> **Die Familie (2)**
>
> der Bruder – die Schwester
> (die Geschwister)
> der Onkel – die Tante
> der Cousin – die Cousine
> der Neffe – die Nichte
> der Schwager – die Schwägerin

c | Wie viele …? Zählen Sie.

Carmen hat ⌊_____⌋ Schwestern und ⌊_____⌋ Cousinen.

Driss hat ⌊_____⌋ Geschwister: ⌊_____⌋ Schwestern

und ⌊_____⌋ Brüder.

> **Nomen im Plural**
>
> der Onkel – die Onkel
> der Vater – die Väter
> die Tochter – die Töchter
> der Bruder – die Brüder
> der Sohn – die Söhne
> die Tante – die Tanten
> das Kind – die Kinder
> der Cousin – die Cousins

d | Wer gehört zu Ihrer Familie? Notieren Sie bitte.

➥ AB 4 – 7

Meine Schwester Ana, mein Schwager Thomas und ihre süßen Kinder – meine Nichte Luisa und mein Neffe Manuel, noch ganz klein.

④

⑤

Die Frauen aus Driss' Familie: seine Mutter, seine Schwestern Saida, Latifa, Najet und seine Nichte Lamia.

⑥

Driss und seine Großfamilie in Marokko. Ganz hinten seine Brüder Ouisam, Habib, Mohamed und Abdelkarim.

6 Eine Familie – viele Sprachen

1 💿_29 a | Woher kommen die Familienmitglieder? Hören Sie noch einmal und ergänzen Sie.

Carmen:

Ihr Mann kommt aus |_____|

Ihre Mutter kommt aus |_____|

Ihre Schwester wohnt in |_____|

Driss:

Seine Familie lebt in |_____|

Sein Bruder Abdelkarim lebt in |_____|

Seine Schwester Latifa lebt in |_____|

➥ AB 8 – 10

> **Possessivartikel: *sein/e, ihr/e***
>
> er → sein Bruder / seine Schwester / seine Geschwister
> sie → ihr Bruder / ihre Schwester / ihre Geschwister
> sie (Pl.) → ihr Sohn / ihre Tochter / ihre Kinder

b | Welche Nationalitäten und Sprachen gibt es in Carmens Familie? Sammeln Sie.

... ist Deutscher / Deutsche

... ist Spanier / Spanierin

... ist Marokkaner / Marokkanerin

... spricht Deutsch

... spricht Spanisch

... spricht Arabisch

... spricht Französisch

... spricht Italienisch

... kommt aus Spanien / Marokko / ...

... lebt in Italien / Kuwait / ...

▪ Carmen ist Deutsche. Sie spricht Deutsch und Spanisch. Ihr Mann ist ... Er spricht ... und ... Zusammen sprechen sie ...

c | Welche Nationalitäten und Sprachen gibt es in Ihrer Familie? Vergleichen Sie.

➥ AB 11
➥ IS 3 / 1

7 Ö und Ü? Schön üben!

Ö und Ü aussprechen

Iiii sprechen + Lippen rund (wie U) = Ü   *süß*
Eeee sprechen + Lippen rund (wie O) = Ö   *schön*

1 _30   a | Hören Sie und sprechen Sie nach.

Mutter – Mütter | Bruder – Brüder | Tochter – Töchter | Sohn – Söhne

1 _31   b | Hören Sie. Lang oder kurz? Rufen Sie *schön* im Chor, wenn der Vokal lang ist,
und *hübsch*, wenn der Vokal kurz ist.

> Meine Brüder.

> Seine Söhne.

> Meine Töchter.

> Zwei Mütter?

1 _32   c | Hören Sie und sprechen Sie nach.

meine Brüder | seine Söhne | meine Töchter |
zwei Mütter | fünf Brüder | zwölf Söhne | hübsche Töchter |
schöne Mütter | mein Baby Lydia – süß!

d | Variieren Sie.

fünf Töchter | hübsche Mütter | …

Possessivartikel: *unser/e, euer/eure, Ihr/e*

Ist das euer Sohn / eure Tochter?
Ja, das ist unser Sohn / unsere Tochter.

Sind das eure Kinder?
Ja, das sind unsere Kinder.

Ist das Ihr Mann / Ihre Frau?
Ja, das ist mein Mann / meine Frau.

Sind das Ihre Brüder?
Nein, das sind meine Cousins.

8 Das ist meine Familie.

a | Lesen Sie bitte.

> Ist das Ihre Frau?

> Ja, und das sind unsere Töchter.

> Wie hübsch!

> Nein, das ist mein Freund.

> Ist das dein Mann?

> Ah ja. Sehr sympathisch! Und wer ist das?

b | Zeigen Sie Ihren Lernpartnerinnen und Lernpartnern Fotos.

↳ IS 3/2

9 Eine E-Mail von Lukas Vogel

a | Lesen Sie die E-Mail. Was ist sein Problem?

An	lisvogel@t-online.de
Von	lukasvogel@t-online.de
Betreff	Hunger!

Liebe Lisa,
endlich Mittagspause. Ich habe einen Bärenhunger! Die Leute
hier in Spanien essen nämlich erst um zwei oder um drei zu
Mittag. Zum Glück habe ich noch etwas Schokolade :-)
Du weißt ja, ich habe immer schon gegen zwölf Hunger und
jetzt ist es schon zwei. Hier ist eben alles ein bisschen anders,
aber auch spannend!

Bis bald und einen dicken Kuss
Lukas

b | Ergänzen Sie bitte die Uhrzeiten.

- Wie viel Uhr ist es? □ Es ist ⌐_____⌐

- Um wie viel Uhr essen die Spanier zu Mittag? □ Um ⌐_____⌐ oder um ⌐_____⌐

- Wann hat Lukas Hunger? □ Gegen ⌐_____⌐

> **Temporalangabe: Uhrzeit**
>
> Um wie viel Uhr essen Sie?
> Um eins.
> Gegen zwei (Uhr).

c | Ergänzen Sie die Tabelle. Vergleichen Sie mit Ihrer Lernpartnerin / Ihrem Lernpartner.

	Spanien	Deutschland	Ihr Land
Mittagessen			

- In Deutschland ist das Mittagessen gegen …
- In … essen die Leute erst / schon um …
- …

➜ AB 12

10 Wie viel Uhr ist es?

1 _33 Hören Sie und variieren Sie den Dialog.

A Entschuldigung, wie viel Uhr ist es?
B Viertel vor eins.
A Schon Viertel vor eins? Wann machen wir Pause | Schluss | Feierabend?

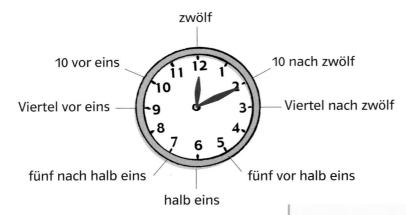

zwölf

10 vor eins

10 nach zwölf

Viertel vor eins

Viertel nach zwölf

fünf nach halb eins

fünf vor halb eins

halb eins

Uhrzeit inoffiziell und offiziell

Wie viel Uhr ist es?

inoffiziell:		offiziell:
Es ist halb neun.	8:30	Es ist acht Uhr dreißig.
Es ist Viertel nach acht.	20:15	Es ist zwanzig Uhr fünfzehn.

---

11 Arbeit und Mittagspause

➥ AB 13 – 14

a | Lesen Sie den Informationstext und beantworten Sie die Fragen.

- Wann ist die Mittagspause in Deutschland?
- Wie lang ist die Mittagspause in Deutschland?
- Nach wie viel Stunden Arbeit ist die Mittagspause?

Mittagspause

Mittagspause ist die unbezahlte Unterbrechung der Arbeitszeit. In Deutschland liegt sie in der Zeit von 11:30 bis 13:30 Uhr, in Spanien oder Italien zwischen 13 und 17 Uhr.
In der Mittagspause können sich die Arbeitnehmer erholen und einen Imbiss einnehmen bzw. zu Mittag essen. In Deutschland und Österreich hat jeder Arbeitnehmer nach sechs Stunden Arbeit 30 Minuten Pause.

---

b | Wann ist die Mittagspause in anderen Ländern?

- In … ist die Mittagspause von … bis … | … Minuten / Stunden lang.
- Nach … Stunden Arbeit …

➥ AB 15

12 Mittagspause mit den Kollegen

1 🔘 _34   a | Hören Sie. Was ist richtig? Kreuzen Sie an.

Herr Adam	Frau Schmidt	Jürgen	
			… macht um halb eins Mittagspause.
			… geht nicht essen.
			… macht keine Pause.

b | Was machen Sie mittags?

▪ Mittags mache ich von … bis … eine Pause.
   koche ich.
   gehe ich in die Kantine.
   esse ich nicht, ich esse abends warm.
   …

➥ AB 16 – 17

Verneinung

+ Ich esse mittags.
- Ich esse mittags nicht.

+ Ich gehe essen.
- Ich gehe nicht essen.

+ Ich mache eine Pause.
- Ich mache keine Pause.

13 Verabredung für die Mittagspause

Suchen Sie eine Partnerin / einen Partner für Ihre Mittagspause.

Wann machst du
Mittagspause?

▪ Wann machen Sie Mittagspause?   ▫ Ich mache von … bis … Mittagspause.
▪ Machen Sie heute keine Pause?   ▫ Nein, ich mache heute keine Pause.
▪ Kommen Sie mit in die Kantine?   ▫ Tut mir leid, ich gehe heute nicht essen.
▪ Gehen wir zusammen essen?   ▫ Ja, gern. / Ich gehe erst um zwei essen.

➥ IS 3 / 3

14 Ein Vorschlag

1 __35   **a |**   Sehen Sie das Bild an. Hören Sie. Wie ist Max' Stimmung? Zeichnen Sie eine Stimmungskurve.

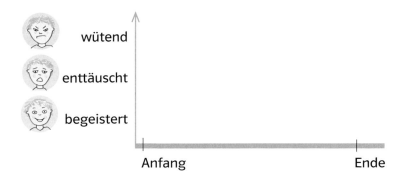

wütend

enttäuscht

begeistert

Anfang   Ende

b | Hören Sie noch einmal. Was möchte Max machen? Und was möchte Lisa? Kreuzen Sie an.

Max möchte   ☐ zum Frisör gehen.   Lisa möchte   ☐ ins Kino gehen.
             ☐ ins Kino gehen.   ☐ spazieren gehen.
             ☐ spazieren gehen.   ☐ zu Hause bleiben.

c | Auf wen warten Max und Lisa?

15 Wochenendpläne

a | Was möchten Sie am Wochenende machen? Wählen Sie und ergänzen Sie eigene Ideen.

- Ich möchte spazieren gehen …

zu Hause bleiben

DVDs ansehen

tanzen gehen

Freunde treffen

Schach spielen

spazieren gehen

Sport machen

grillen

die Familie besuchen

ins Kino gehen

b | Spielen Sie eine kleine Szene.

- Gehen wir tanzen | spazieren?
- Ich möchte … spielen | … besuchen | DVDs ansehen.
- Heute nicht. | Ich habe keine Zeit. | Ich bin müde. |
  Ich möchte zu Hause bleiben. | Das ist doch langweilig!
- Und morgen? | am …?

➡ AB 18 – 19

Wunsch ausdrücken

ich möchte tanzen
du möchtest schlafen
er / sie möchte grillen
wir möchten lesen
ihr möchtet spazieren gehen
sie möchten zu Hause bleiben

Was möchten Sie?

16 Ratespiel: Was machen Sie am Wochenende?

a | Wählen Sie ein Beispiel. Summen Sie vor (⬤ laut, ● leise) – die anderen raten.

A **Hm**-Hm-Hm   B **Sport** machen!

lesen

schlafen

kochen

Sport machen

fernsehen

arbeiten

Freunde treffen

tanzen gehen

Musik hören

spazieren gehen

ins Kino gehen

zu Hause bleiben

b | Ergänzen Sie das Spiel. Achten Sie bitte auf die Silbenzahl.

1 Die Tränen meiner Mutter

Deutschland / Argentinien 2008

Das Leben einer Familie, die in den 80er Jahren aus Argentinien nach West-Berlin flüchtet.
Spannendes Familiendrama.

Fr-So, City, 20:10

4 Fatih Cevikkollu: Fatihland
Das Leben in Deutschland.

Auf der Bühne ein in Deutschland geborener Türke mit einer großen Portion Selbstironie. Lachen garantiert!

Theaterhaus, So 19:45

7 Großes Bocciaturnier für jedermann

Spielen und gewinnen. Startgeld 10,- €

So 10:30, Marienplatz

2 Bobby McFerrin & Band

Jazzkonzert der Sonderklasse.

Hot Jazz Club, Fr 20:15

5 Tangonacht – mit Live-Musik und Showtanz

Kostenloser Schnupperkurs.

Tanzschule Meyer, Sa 21:30

8 Internationales Frühstücksbuffet

Diesen Samstag mit japanischen Spezialitäten und Spielecke für Kinder.

Café International, Sa 10:00

3 Karibische Party

Salsa, Merengue, karibische Musik, Cocktails und heiße Rhythmen.

Restaurant Lopez, Sa 21:00

6 Lichterfest Diwali Festessen und Kulturprogramm

Das spektakulärste und bunteste Fest Indiens.

Kommen Sie einfach vorbei.

Veranstalter:
Indischer Verein Fr 19:00

17 Programm für das Wochenende

a | Lesen Sie und sortieren Sie die Anzeigen.

Musik / Tanz	Film / Theater	Fest / Party	Sonstiges

b | Fragen Sie.

▪ Um wie viel Uhr beginnt der Film …?
    die Tangonacht?
    die Karibische Party?
    das Bocciaturnier?
    das Lichterfest?
    das Jazzkonzert?
    das Frühstücksbuffet?
    das Theaterstück?

▫ Um zwanzig Uhr zehn.

→ AB 20

18 Verabredungen per SMS

a | Welche SMS passt zu welcher Anzeige? Suchen Sie nach Schlüsselwörtern und ordnen Sie zu.

☐

◀ Ihre Nachrichten ▶

✉ 15:32

Um 5 vor 8 im
Kino?
Bis dann
Sabine

Option   zurück

☐

◀ Ihre Nachrichten ▶

✉ 18:16

Bin um Viertel
nach 7 im
Theaterhaus. Bist
du pünktlich?
Robin

Option   zurück

☐

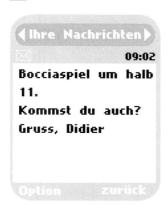

◀ Ihre Nachrichten ▶

✉ 09:02

Bocciaspiel um halb
11.
Kommst du auch?
Gruss, Didier

Option   zurück

☐

◀ Ihre Nachrichten ▶

✉ 19:48

Hallo Agnieszka,
bin um zehn nach
9 im Lopez.
Wartest du?
Beata

Option   zurück

b | Haben Sie ein Handy dabei? Schreiben Sie eine SMS an Ihre Lernpartnerin / Ihren Lernpartner
und verabreden Sie sich für eine Veranstaltung.

19 Wählen Sie eine Aufgabe.

▪ Mein Wochenende: Zeichnen Sie oder machen Sie Pantomime.
Ihre Lernpartnerin / Ihr Lernpartner notiert die Aktivitäten.

Wann beginnt …?

Um wie viel Uhr …?

▪ Bringen Sie das Wochenendprogramm Ihrer Stadt mit.
Was beginnt wann?

▪ Recherchieren Sie im Internet oder bringen Sie Prospekte mit.
Machen Sie ein gemeinsames Wochenendprogramm.

Sonntagvormittag 10:00 Uhr …
Samstagabend …

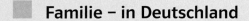

Familie – in Deutschland

Erfinden Sie eine deutsche Familie. Machen Sie eine Collage. Stellen Sie sie im Kurs vor.

Projekt: Familie – in anderen Ländern

Welche Informationen sind interessant?
- Wer gehört in Ihrem Land zur Familie?
- Wie groß sind die Familien?
- Wer lebt zusammen?
- …

Machen Sie Plakate und vergleichen Sie.

Die Zeit international

Sammeln Sie im Kurs: Wie spät ist es jetzt in Ihrem Land?
Was machen die Leute? Machen Sie ein Plakat.

- In Deutschland ist es 7 Uhr. Die Leute frühstücken.
- In Thailand ist es … Die Leute …
- In Brasilien ist es … Die Leute …
- In Äthiopien …
- In den USA …

Länder und Sprachen

Fragen Sie im Kurs. Machen Sie eine Liste.

Land in Ihrer Sprache	Land auf Deutsch	Landessprache(n)

 FOKUS LANDESKUNDE

Pünktlichkeit ist in Deutschland wichtig. Im Beruf und bei Terminen heißt pünktlich auf die Minute genau oder ein paar Minuten früher.

Privat passt auch 5 bis 10 Minuten später. Eine Entschuldigung ist gut (zum Beispiel U-Bahn verpasst).

1 ◯ _36 ## Ein Lied: Oh, wann kommst du?

Hören Sie. Singen Sie den Refrain mit.

⮕ IS 3 / 4

Montag, Dienstag, Mittwoch, Donnerstag,
Freitag, Samstag, Sonntag,
jeder Tag vergeht ohne Ziel!
OOh, oh oh oh oh oh wann kommst du?
OOh, oh oh oh oh oh wann kommst du?

© *Oh, wann kommst du*: Frances, Miriam; Westminster Music Ltd.
Essen Musikvertrieb GmbH, Hamburg

1 Waren von A bis Z

a | Sehen Sie die Collage an. Was kennen Sie? Ordnen Sie die Wörter zu. Raten Sie eventuell.

der Apfel, ⸚	die Butter	der Käse	der Salat, -e	der Wein
die Banane, -n	das Ei, -er	der Kugelschreiber, -	der Schinken	die Zahnpasta
die Batterie, -n	der Fisch, -e	die Milch	der Tee	die Zeitung, -en
das Bier	das Fleisch	das Mineralwasser	das Toilettenpapier	die Zigarette, -n
das Brot, -e	der Kaffee	der Reis	die Tomate, -n	die Zitrone, -n

b | Welche Wörter sind in Ihrer Sprache / anderen Sprachen ähnlich? Notieren Sie.

c | Welche Dinge sind für Sie wichtig? Was fehlt? Gestalten Sie das leere Feld.

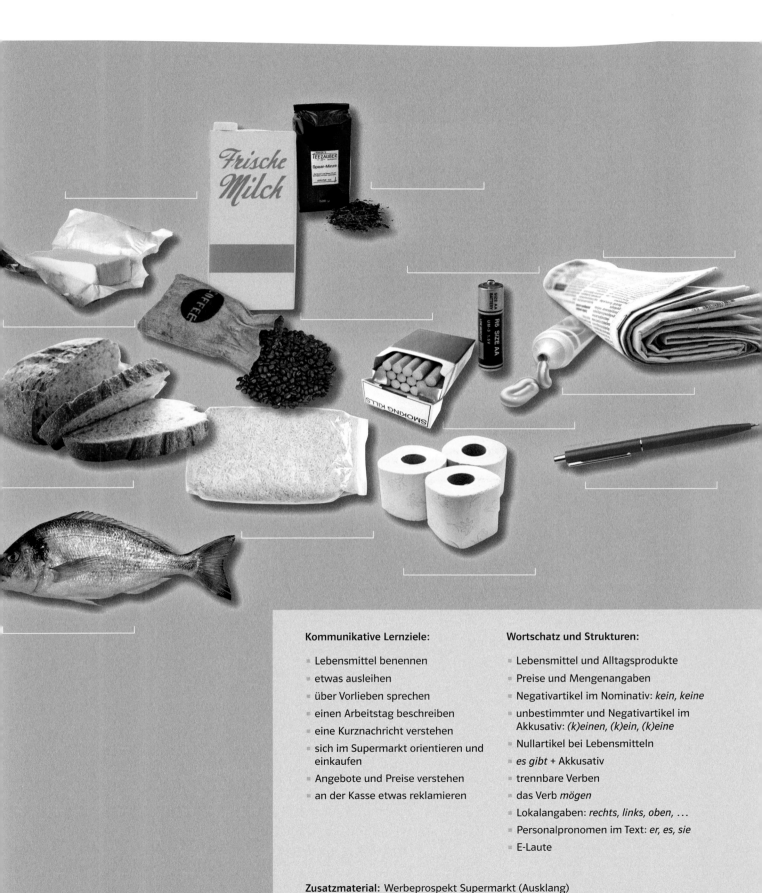

Kommunikative Lernziele:

- Lebensmittel benennen
- etwas ausleihen
- über Vorlieben sprechen
- einen Arbeitstag beschreiben
- eine Kurznachricht verstehen
- sich im Supermarkt orientieren und einkaufen
- Angebote und Preise verstehen
- an der Kasse etwas reklamieren

Wortschatz und Strukturen:

- Lebensmittel und Alltagsprodukte
- Preise und Mengenangaben
- Negativartikel im Nominativ: *kein, keine*
- unbestimmter und Negativartikel im Akkusativ: *(k)einen, (k)ein, (k)eine*
- Nullartikel bei Lebensmitteln
- *es gibt* + Akkusativ
- trennbare Verben
- das Verb *mögen*
- Lokalangaben: *rechts, links, oben, …*
- Personalpronomen im Text: *er, es, sie*
- E-Laute

Zusatzmaterial: Werbeprospekt Supermarkt (Ausklang)

2 Was ist in Ihrem Kühlschrank?

a | Füllen Sie Ihren Kühlschrank für das Wochenende. Schreiben Sie oder malen Sie Lebensmittel aus 1a.

b | Vergleichen Sie Ihre Kühlschränke.

- In meinem Kühlschrank sind Milch, Käse, drei Eier und ein Salat.
  Und was ist in Ihrem / deinem Kühlschrank?
- In meinem Kühlschrank sind Milch und Käse, aber kein Salat und keine ...

> **Artikel bei Lebensmitteln**
>
> **ein / eine (zählbar)**
> Im Kühlschrank sind eine Tomate, ein Salat, Eier, ...
>
> **Nullartikel (unzählbar)**
> Im Kühlschrank ist Milch, Käse, Butter, ...
>
> **kein / keine (Negation)**
> Im Kühlschrank sind keine Tomaten, keine Eier, keine Milch, kein Käse, ...

AB 1–2

3 Kartoffelgerichte

a | Was ist das? Raten Sie.

> der Salat | die Suppe | die Bratkartoffeln | der Kuchen | das Omelett

 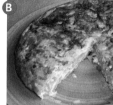   

- ▪ Auf Foto D ist eine Kartoffelsuppe.
- ▫ Nein, das ist ein Kartoffel…

b | Sehen Sie das Bild an und lesen Sie.

Machen wir einen Salat?

Oder machen wir ein Omelett?

Kochen wir eine Suppe?

Pfeffer Salz Öl Kartoffeln Knoblauch Eier Zwiebeln

c | Was glauben Sie: Was kochen die Personen? Sehen Sie das Foto genau an. Was fehlt? Sprechen Sie.

- ▪ Ich glaube, sie machen | sie kochen | sie backen | sie braten …
  Aber sie haben keine Butter | kein Mehl | …
  Sie brauchen noch ein Ei | Milch | …

---

ein(e) / kein(e) im Akkusativ

Was machen sie?
Sie machen einen Salat / keinen Salat. (m)
ein Omelett / kein Omelett. (n)
eine Suppe / keine Suppe. (f)
Bratkartoffeln / keine Bratkartoffeln. (Pl.)

↪ AB 3–5

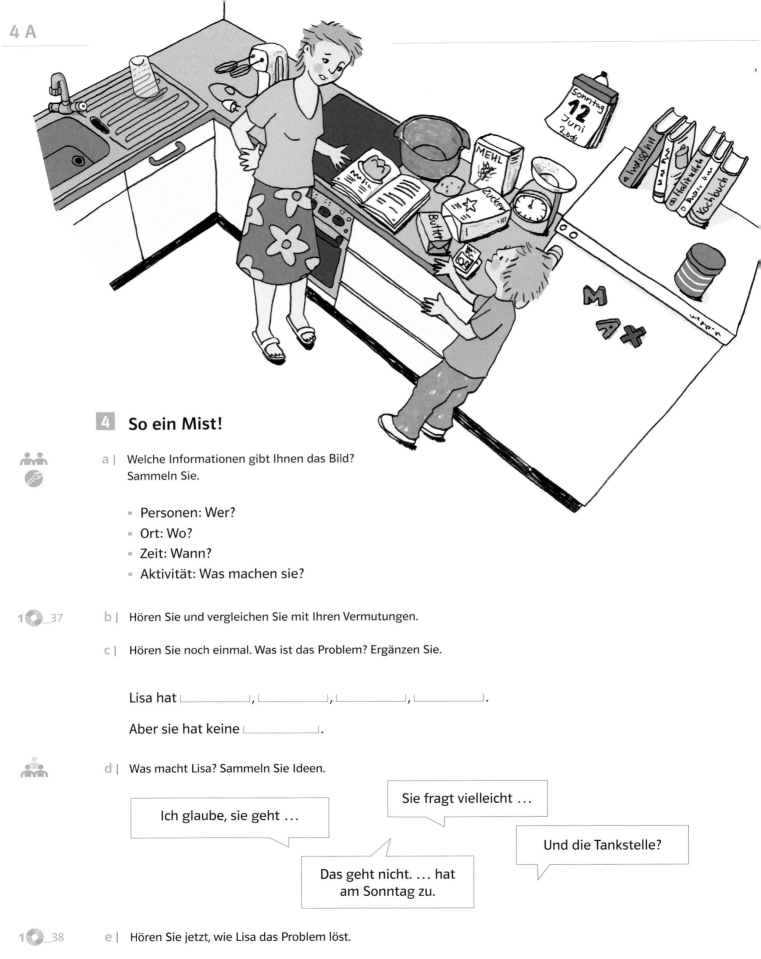

4 So ein Mist!

a | Welche Informationen gibt Ihnen das Bild?
Sammeln Sie.

- Personen: Wer?
- Ort: Wo?
- Zeit: Wann?
- Aktivität: Was machen sie?

1 ☉ _37   b | Hören Sie und vergleichen Sie mit Ihren Vermutungen.

c | Hören Sie noch einmal. Was ist das Problem? Ergänzen Sie.

Lisa hat ⌶_____⌶, ⌶_____⌶, ⌶_____⌶, ⌶_____⌶.

Aber sie hat keine ⌶_____⌶.

d | Was macht Lisa? Sammeln Sie Ideen.

> Ich glaube, sie geht …

> Sie fragt vielleicht …

> Das geht nicht. … hat am Sonntag zu.

> Und die Tankstelle?

1 ☉ _38   e | Hören Sie jetzt, wie Lisa das Problem löst.

5 Wir brauchen vier!

 1 _39   a | Was möchte Jan am Abend machen? Hören Sie und markieren Sie.

Deutsch lernen | Salsa tanzen | essen gehen | kochen | Kerstin treffen | …

    b | Hören Sie noch einmal. Ordnen Sie dann den Dialog.

> Guten Tag. Ich bin Max. | Ja, ich verstehe. | Ich bin Jan. Hallo. | Eier? | Wir backen
> einen Kuchen und haben keine Eier. Wir brauchen vier! | Haben Sie vielleicht Eier?

Max: *Guten Tag. Ich bin Max.*

Jan: |_____|

Max: |_____|

Jan: |_____|

Max: |_____|

Jan: |_____|

6 Entschuldigung, ich habe ein Problem.

 1 _40   a | Lesen Sie und hören Sie.

1.

A Guten Tag, *Frau Witt.*
B Guten Tag, *Frau Durakis.*
A Entschuldigen Sie. Ich habe ein Problem.
B Ja?
A Ich koche *eine Gemüsesuppe.* Aber ich habe
   keine Zwiebeln.
   Haben Sie vielleicht *eine Zwiebel*?
B Ja, ich habe *eine Zwiebel.* Warten Sie einen
   Moment … Hier, bitte.
A Vielen Dank. Ich bringe Ihnen morgen *eine Zwiebel.*

2.

A Hallo. Ich bin *Michael.* Ich wohne unten.
B Hallo, *Michael.*
A Entschuldige. Ich habe ein Problem. Ich
   mache *ein Omelett,* aber ich habe *kein Salz.*
   Hast du vielleicht etwas *Salz*?
B Klar… Bitte.
A Danke.

    b | Spielen Sie im Kurs. Variieren Sie.

einen Salat | keine Tomaten | eine Tomate
einen Käsekuchen | keinen Zucker | Zucker
ein Spiegelei | kein Salz | etwas Salz
eine Pizza | keinen Knoblauch | etwas Knoblauch
…

➥ AB 6
➥ IS 4/1

7 Partnerinterview: Was mögen Sie?

a | Lesen Sie die Fragen und notieren Sie zuerst Ihre Antwort.

 b | Fragen Sie dann Ihre Lernpartnerin / Ihren Lernpartner.

c | Suchen Sie drei Gemeinsamkeiten.

- Wir essen gern / trinken gern …
- Wir mögen (kein/e/n) …
- Nachmittags essen wir …
- …

> **Das Verb *mögen***
>
> ich mag Fisch
> du magst Fleisch
> er / sie mag Kuchen
> wir mögen keinen Kaffee
> ihr mögt keinen Tee
> sie mögen alles
>
> Was mögen Sie?

	Ich	Meine Lernpartnerin / Mein Lernpartner
Wie oft und wann essen Sie?		
Essen Sie etwas vormittags / nachmittags? Was?		
Mögen Sie Fleisch oder Fisch?		
Sind Sie Vegetarier/in?		
Mögen Sie Schwarzbrot?		
Essen Sie gern Kuchen?		
Trinken Sie morgens Kaffee oder Tee?		
Trinken Sie Wasser mit oder ohne Kohlensäure?		
Mögen Sie Cola / Bier / Wein?		
Ihre Frage:		

➥ AB 7

8 Vera, Sven und Käthe essen gern …

1 ⊙_41   a | Hören Sie. Achten Sie auf die markierten Buchstaben.

Vera sagt: Ich trinke gern Tee und Kaffee. Ich mag keinen Käse.

Sven sagt: Ich esse gern Äpfel und ich trinke gern Sekt. Aber ich trinke keinen Tee.

Käthe sagt: Ich mag Käse und Käsekuchen, aber keinen Pfeffer.

1 _42   b | Wer mag was? Hören Sie und achten Sie auf die markierten E-Laute.

Klingen die E-Laute gleich / nicht gleich?

Vera – Kekse   ✗
Käthe – Käse
Sven – Sekt
Vera – Äpfel
Käthe – Mehl
Sven – Pfeffer

Welche E-Laute passen zusammen?

Was mag die L**eh**rerin? **Tee** oder Sekt?
Was mag die Schw**e**ster? **Ä**pfel oder Käse?
Was mag die Schw**ä**gerin? **Ke**kse oder Käse?
Was mag der N**e**ffe? **E**rbsen oder **E**rdbeeren?
Was mögen die **E**ltern? **Ke**kse oder **Ä**pfel?

c | Ergänzen Sie die Tabelle. Markieren Sie lang (—) und kurz (.) und lesen Sie vor.

	[e:]	[ɛ]	[ɛ:]
Personen	Vera, Lehrerin	Sven	Käthe
Lebensmittel	Tee		

E-Laute

Langes [e:]
Lehrerin, Tee, Kekse
Bitte lächeln!

Langes [ɛ:]
Käthe

Kurzes [ɛ]
Sekt, Äpfel

1 _43   d | Hören Sie zu. Lächeln Sie und sagen Sie laut und fröhlich *He!* zu Ihrer Lernpartnerin / Ihrem Lernpartner.

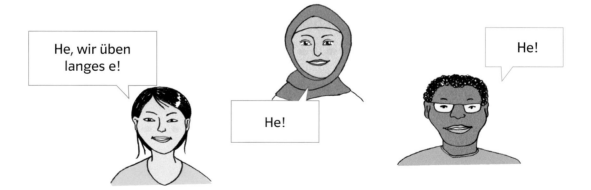

9   Wählen Sie eine Aufgabe.

▪ Welche Lebensmittel sind für Sie wichtig? Machen Sie ein Bildlexikon.

▪ Sie möchten einen Kuchen für den Deutschkurs backen. Schreiben Sie einen Einkaufszettel. Gehen Sie zusammen einkaufen und backen Sie eventuell zusammen.

▪ Sie möchten etwas ausleihen. Schreiben Sie einen Dialog und spielen Sie ihn in der Gruppe vor.

Entschuldigung. | … Problem. | Es ist … | … hat zu. | Haben Sie …?

10   Porträt Katharina Koch

a | Sehen Sie die Fotos an und lesen Sie die ersten Zeilen. Was ist Katharina Koch von Beruf?

b | Lesen Sie. Notieren Sie die wichtigsten Informationen.

Wo?   Wer hilft?

Was macht sie? ————— Katharina Koch ————— Wie lange?   *Von 6 bis ... Uhr.*

Wie oft?   Wie alt ist sie?

„Zufrieden bin ich immer"

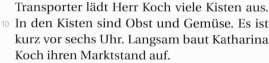

Seit 62 Jahren verkauft Katharina Koch auf dem Bamberger Markt Obst und Gemüse.

5   Die Marktverkäuferin kennt nichts anderes. Der Markt ist ihr Leben.

Aus einem kleinen Transporter lädt Herr Koch viele Kisten aus.
10 In den Kisten sind Obst und Gemüse. Es ist kurz vor sechs Uhr. Langsam baut Katharina Koch ihren Marktstand auf.

Frau Koch steht normalerweise um halb fünf auf. Schnell trinkt sie ihren Kaffee. Dann
15 fahren sie und ihr Mann los.

Zweimal die Woche kommt sie auf den Markt und bietet ihre Waren an. Fast 80 Jahre ist sie alt. Das erste Mal war sie mit 16 Jahren auf dem Bamberger Markt.
20 Heute hat sie um 6:40 Uhr die erste Kundin. Die Frau kauft drei Pfund Kartoffeln für zwei

Euro. Zwischen 9:30 und 13 Uhr bedient sie die meisten Kunden. „Bitte, Sie wünschen?", fragt Frau Koch und packt die Waren ein.

Bei schlechtem Wetter kaufen nur wenige Leute ein. Aber Frau Koch bleibt fröhlich. 5 „Egal wie das Geschäft läuft, zufrieden bin ich immer", sagt sie.

Bis 15 Uhr steht sie meistens an ihrem Stand. Dann holt ihr Mann sie ab. Zu zweit bauen sie den Stand ab. 20 Minuten dauert 10 es. Müde klettert Katharina Koch in das Auto. Langsam fährt der kleine Transporter nach Dörfleins zurück. „Nächstes Jahr bin ich 79, da höre ich auf", sagt Frau Koch.

c | Wie ist Frau Kochs Arbeitstag? Suchen Sie die Uhrzeiten im Text.

Uhrzeit	Aktivität
⌞_____⌟	aufstehen, Kaffee trinken, losfahren
⌞_____⌟	Kisten ausladen, Marktstand aufbauen
⌞_____⌟	die meisten Kunden bedienen, Waren einpacken
⌞_____⌟	Stand abbauen, zurückfahren

d | Markieren Sie die Aktivitäten aus c im Text. Was stellen Sie fest?

Frau Koch **steht** normalerweise um halb fünf **auf**.   ⇨ AB 8–13

11 Was machen Sie jetzt?

 _44

a | Wo ist der Akzent? Hören Sie und markieren Sie bitte.

A Was machen Sie jetzt?

B Aufstehen. Ich stehe auf.   C Losgehen. Ich gehe los.

D Einkaufen. Ich kaufe ein.   E Wegfahren. Ich fahre weg.

b | Und was machen Sie? Antworten Sie bitte.

losfahren | anfangen | zurückkommen | fernsehen | weggehen

Trennbare Verben

Wo kaufen Sie ein?
Ich kaufe auf dem Markt ein.

an|fangen
ab|bauen
auf|stehen
aus|laden
ein|kaufen
los|fahren
zurück|kommen
weg|fahren
…

---

12 Ihr Arbeitstag

a | Sprechen Sie über Ihren Arbeitstag (Arbeit / Schule / Hausarbeit).

- Wann stehen Sie auf?   □ Um 7 Uhr. | Ich stehe um halb 8 auf.
- Wann frühstücken Sie?   □ Gegen … | Ich frühstücke von … bis …
- Wann gehen Sie los?   □ Um … | Ich gehe um … los.
- Wann fängt die Arbeit an?   □ Um … | Die Arbeit fängt um … an.
- Wann kommen Sie zurück?   □ Gegen … | Ich komme um … zurück.

b | Was haben Sie über Ihre Lernpartnerin / Ihren Lernpartner erfahren? Fassen Sie zusammen.

13 Nachricht für eine Kollegin

a | Lesen Sie. Wie heißt die Kollegin von Frau Koch? Was ist das Problem?

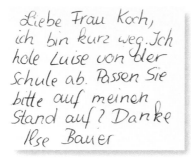

Liebe Frau Koch,
ich bin kurz weg. Ich
hole Luise von der
Schule ab. Passen Sie
bitte auf meinen
Stand auf? Danke
Ilse Bauer

b | Sie kommen später zur Arbeit. Schreiben Sie Ihrer Kollegin / Ihrem Kollegen eine Nachricht.

- Sie haben einen Termin auf dem Rathaus.
- Ihr Auto ist kaputt.
- Sie holen Ihr Kind ab.
- …

➡ AB 14

A die Getränkeabteilung

B die Wursttheke

C das Regal

14 Im Supermarkt

a | Was gibt es in Ihrem Supermarkt? Notieren Sie.

- ▪ Eine Getränkeabteilung, eine Wurst- und Fleischtheke, eine Tiefkühltruhe, ein Zeitungsregal, …

> **es gibt + Akkusativ**
>
> Im Supermarkt gibt es
> einen Leergutautomaten,   (m)
> ein Kühlregal,   (n)
> eine Käsetheke,   (f)
> und viele Kassen.   (Pl.)

1 ● _45   b | Hören Sie und lesen Sie. Welcher Dialog passt zu welchem Foto? Ordnen Sie zu.

A	B	C	D	E	F

1.

A Entschuldigung, wo finde ich Zahnpasta?

B Da im Regal rechts unten.

2.

A 64 Euro und 11 Cent.

B Bitte.

A Und 35 Euro und 89 Cent zurück. War alles in Ordnung?

B Danke, ja.

A Auf Wiedersehen.

B Wiedersehen.

3.

A Sie wünschen?

B Ich möchte 200 g Gouda und 150 g Schinken bitte.

A Sonst noch etwas?

B Danke, das war's.

4.

A Entschuldigung, was kostet eine Dose Bier?

B 75 Cent.

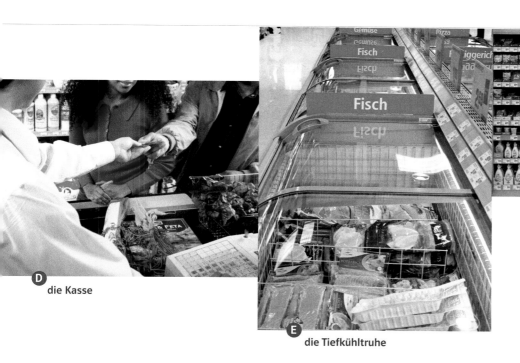

D die Kasse

E die Tiefkühltruhe

F der Leergutautomat

Orientierung

→ **Rechts** ist das Obst.
← **Links** ist das Gemüse.

↑ **Oben** ist Zahnpasta.
↓ **Unten** ist Toilettenpapier.

↗ **Vorn** ist die Kasse.
↖ **Hinten** ist die Käsetheke.

5.

A Entschuldigen Sie, ich habe hier leere Flaschen. Wo ist …?

B Der Leergutautomat ist da hinten links.

6.

A Entschuldigen Sie bitte, ich glaube, da stimmt etwas nicht. Die Butter ist heute im Angebot. Sie kostet nur 99 Cent.

B Einen Moment bitte. Oh, Sie haben Recht, entschuldigen Sie vielmals.

A Schon okay.

7.

A Entschuldigen Sie, ich brauche noch eine Tüte.

B Das macht 10 Cent bitte.

A Hier bitte.

B Danke.

8.

A Entschuldigung, wo gibt es Fisch?

B Vorne rechts, in der Tiefkühltruhe.

A Ah ja, danke.

B Bitte, bitte.

c | Was sagt der Kunde / die Kundin? Suchen Sie in den Dialogen und notieren Sie.

etwas suchen	etwas kaufen	Preise erfragen	höfliche Wendungen
Wo …			Entschuldigung, …

d | Spielen Sie die Dialoge und variieren Sie: andere Waren / andere Preise / andere Orte, freundlich / unfreundlich.

→ AB 15 – 16

→ IS 4 / 2, 3

15 Werbung im Supermarkt: billig, günstig, ganz frisch!

1 _46   a | Hören Sie. Ergänzen Sie die Preise.

1. Die Tomaten? Sie kosten nur └────┘ € das Kilo.
2. Der Schafskäse? Er kostet └────┘ € pro 100 g.
3. Das Olivenöl? Es kostet └────┘ € der Liter.
4. Der Wein? Er kostet └────┘ € die Flasche.
5. Der Fisch? Er kostet └────┘ € die Dose.
6. Die Butter? Sie kostet └────┘ € das Stück.
7. Der Reis? Er kostet └────┘ € die Packung. Wie günstig!

> **Mengenangaben**
>
> 100 g Käse (Gramm)
> 1 kg Tomaten (Kilo)
> 1 l Milch (Liter)
> eine Dose Fisch
> eine Flasche Wein
> eine Packung Reis
> ein Stück Butter

b | Was passt? Verbinden Sie bitte.

Die Tomaten sind aus Marokko. ○   ○ Sie ist sehr billig.
100 g Schafskäse kostet 1,49 €. ○   ○ Er ist rot oder weiß.
Olivenöl gibt es heute für 4,99 €. ○   ○ Er kommt aus Thailand.
Der Wein kommt aus Frankreich. ○   ○ Sie sind gut und günstig.
Der Fisch ist lecker. ○   ○ Er kommt aus Portugal.
Die Butter kostet heute nur 99 Cent. ○   ○ Er ist ganz frisch.
Der Reis ist billig. ○   ○ Es ist gut und gesund.

> **Personalpronomen im Text**
>
> **Der** Schafskäse ist frisch. **Er** kommt aus der Türkei.
> **Das** Olivenöl ist gut und gesund. **Es** kostet 4,99 Euro.
> **Die** Butter ist günstig. **Sie** ist aus Holland.
> Woher kommen **die** Tomaten? **Sie** kommen aus Marokko.

⮕ AB 17 – 18

c | Lesen Sie den Prospekt und sprechen Sie über die Angebote.

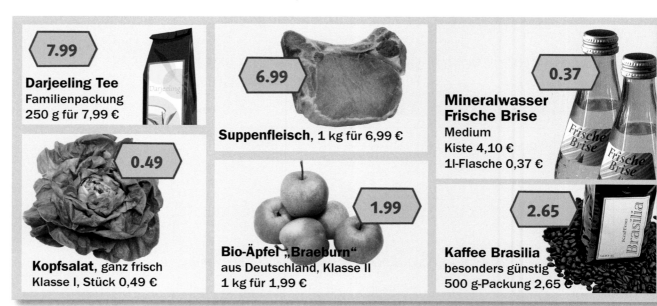

Darjeeling Tee 7.99
Familienpackung
250 g für 7,99 €

Kopfsalat, ganz frisch 0.49
Klasse I, Stück 0,49 €

Suppenfleisch, 1 kg für 6,99 € 6.99

Bio-Äpfel „Braeburn" 1.99
aus Deutschland, Klasse II
1 kg für 1,99 €

Mineralwasser Frische Brise 0.37
Medium
Kiste 4,10 €
1l-Flasche 0,37 €

Kaffee Brasilia 2.65
besonders günstig
500 g-Packung 2,65 €

16 Rund um die Uhr einkaufen

a | Sehen Sie das Foto an. Wo ist das? Was glauben Sie?

Shop

Bequem, schnell und praktisch!

Bei uns gibt es nicht nur Benzin. Autozubehör, Zigaretten, Getränke, Zeitschriften, Lebensmittel, Telefonkarten, Batterien – in unserem Shop finden Sie alles, was Ihnen gerade fehlt. Selbstverständlich haben wir auch Geschenkartikel, Blumen und viele weitere Dinge des täglichen Bedarfs im Angebot. Brauchen Sie Getränke für eine laufende Party, Holzkohle für den spontanen Grillabend, Brötchen fürs Sonntagsfrühstück oder ein Mitbringsel für die Liebsten? Bei uns gibt es (fast) alles!

Wir haben an allen Tagen auf, auch am Sonntag.

IS 4 / 4

b | Lesen Sie. Was kaufen Sie dort?

c | Wann hat der Shop zu? Lesen Sie genau.

17 1, 2, 3 . . . Sch . . .

1 🔘_47 a | Wer tanzt hier? Und was ist im Päckchen? Haben Sie eine Idee? Hören Sie.

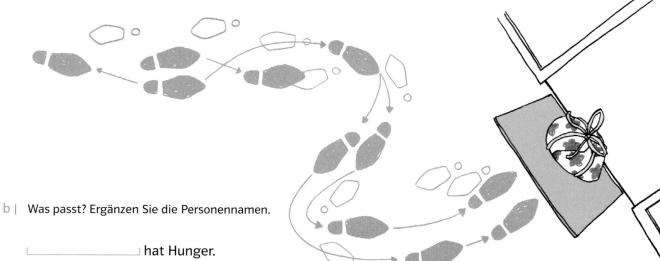

b | Was passt? Ergänzen Sie die Personennamen.

└──────────┘ hat Hunger.

└──────────┘ möchte ein Bier trinken.

└──────────┘ sind fröhlich.

└──────────┘ hat zwei linke Füße.

└──────────┘ findet das Päckchen.

Post von Lukas

a | Lesen Sie die Postkarte. Wo ist Lukas gerade?

> Liebe Lisa, lieber Max,
> viele Grüße aus dem kalten Omsk.
> Gestern war ich auf dem Markt.
> Da gibt es alles: Käse, Wurst,
> Fleisch, Zigaretten, Kleidung,
> Bücher und CDs. Aber vor allem
> Obst und Gemüse. Frisch und billig.
> Fast alle Russen kaufen hier ein.
> Sie probieren die Ware, bevor sie etwas
> kaufen. Und sie diskutieren über den
> Preis. Das ist ganz normal. Für
> Ausländer ein Problem. Aber mit
> Händen und Füßen geht es...
> Wie geht es euch? Ich komme
> ja bald.   Lukas
>
> Familie Vogel
> Elisabethplatz 9
> D-87654 Neustadt

 b | Was ist in Deutschland und anderen Ländern anders? Sammeln Sie und sprechen Sie im Kurs.

Internationale Gerichte

 a | Was ist ein typisches Gericht aus Ihrem Land? Welche Zutaten brauchen Sie dafür? Schreiben Sie einen Einkaufszettel. Benutzen Sie auch ein Wörterbuch.

 b | Sammeln Sie und machen Sie eine Kursliste.

> ▪ Das Gericht kommt aus ... Es heißt ... Ich brauche dafür ...

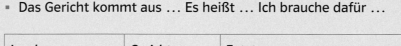

Land	Gericht	Zutaten
Griechenland	Souvlaki	Fleisch, Pfeffer, Salz, Oregano, Olivenöl, ...

Lieblingsprodukte

Machen Sie eine Collage mit Werbeanzeigen Ihrer Lieblingsprodukte.
Stellen Sie sie einer anderen Gruppe vor.

Kartoffelrezepte

Kennen Sie ein Rezept mit Kartoffeln? Bringen Sie es mit. Machen Sie ein Kochbuch im Kurs.

Kartoffelsuppe Hausmannsart

Zutaten: 300 g Suppenfleisch,
1 Bund Suppengrün,
3 große Kartoffeln,
3 Wiener Würstchen

1. Das Fleisch in Salzwasser kochen. Aus dem Topf nehmen und klein schneiden.
2. Suppengrün und die Kartoffeln putzen und klein schneiden. In die Fleischbrühe geben und bissfest kochen lassen.
3. Fleisch zu dem Gemüse in die Suppe geben.
4. Die Wiener Würstchen in Scheiben schneiden, in etwas Öl kurz anbraten und auch in die Suppe geben.
5. Die fertige Suppe mit etwas Petersilie bestreuen.

Schwäbischer Kartoffelsalat

Zutaten:
500 g Kartoffeln,
2 gehackte Zwiebeln,
1 Esslöffel Senf,
125 ml Brühe,
Salz, Pfeffer,
Weißweinessig, Öl,
evtl. Gurken- oder Schinkenwürfel

1. Kartoffeln in der Schale kochen und pellen.
2. Noch warm in dünne Scheiben schneiden, mit den Zwiebeln mischen.
3. Die heiße Brühe dazugeben und mischen.
4. Öl, Senf und Essig dazugeben, mischen und mit Salz und Pfeffer abschmecken, fertig. Man kann auch Gurken- und Schinkenwürfel untermischen.

5 Suchen und finden

1 Elf Uhr in Berlin

a | Lesen Sie die Sätze. Finden Sie die passende Person?

- [ ] Die Reiseleiterin fährt mit dem Bus zum Fernsehturm.
- [ ] Der Kurier fährt mit dem Fahrrad zur Post.
- [ ] Die Lehrerin fährt mit dem Motorrad zur Schule.
- [ ] Die Schauspielerin fährt mit dem Auto zur Berlinale.
- [ ] Die Großmutter und das Kind gehen zu Fuß in den Zoo.
- [ ] Der Politiker fährt mit dem Aufzug zum Pressetermin.

b | Wie sehen die Personen aus? Suchen Sie Beispiele.

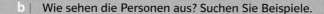

- Wer ist sportlich? Wer ist elegant?
- Wer ist jung? Wer ist alt?
- Wer ist groß? Wer ist klein?
- Wer hat lange Haare? Wer hat kurze Haare?
- Wer hat blonde Haare? Wer hat braune Haare?
- Wer trägt eine Brille?

c | Wie sind Sie? Gestalten Sie das leere Feld.

- Ich bin groß | klein | …
- Ich habe … Haare.
- Ich bin sportlich | …
- …

⟹ AB 1 – 2

Kommunikative Lernziele:

- Personen beschreiben
- über Fähigkeiten und Interessen sprechen
- Möglichkeiten angeben
- die Meinung äußern
- im Kurs kommunizieren
- öffentliche Gebäude benennen und ihre Lage angeben
- Verkehrsmittel benennen
- nach dem Weg fragen und eine Wegbeschreibung verstehen
- Anweisungen geben

Wortschatz und Strukturen:

- Farben und Eigenschaften
- Verkehrsmittel
- Modalverb *können*: Fähigkeiten und Möglichkeiten
- Lokalangaben: *in, an, auf, von, zum / zur*
- Imperativ (*Sie*- und *du*-Form)
- bestimmter Artikel im Akkusativ
- das Pronomen *man*
- E-Laute: schwaches ə

Zusatzmaterial: Bilder von bekannten Personen aus Zeitschriften (Aufgabe 3)

VHS-Programm (Aufgabe 10)

2 Annas Opa?!

a | Spekulieren Sie. Wer ist die Person auf dem Bild? Wie ist er / sie?

> Ich glaube, das ist eine Frau. Sie ist …

> Nein, ich glaube, das ist …

> Er / Sie hat … Haare.

> Er / Sie sieht … aus.

Farben

- ○ weiß
- ● gelb
- ● rot
- ● blau
- ● grün
- ● braun
- ● grau
- ● schwarz

1 🔊 _48   b | Wer ist die Person? Hören Sie und kreuzen Sie an.

☐ Max' Vater   ☐ Max' Opa   ☐ Annas Opa   ☐ _____

c | Hören Sie noch einmal. Was erfahren Sie noch über die Person? Kreuzen Sie an.

	richtig	falsch
1. … hat ein Piercing in der Lippe.		
2. … hat blaue Lippen.		
3. … hat blaue Haare.		
4. … lernt Italienisch.		
5. … kommt aus Italien.		
6. … muss Deutsch lernen.		
7. … heißt Klaus.		

↪ AB 3

3 Ratespiel: Wer ist das?

a | Bringen Sie Bilder von bekannten Personen aus Zeitschriften mit und hängen Sie sie im Kursraum auf. Jeder beschreibt eine Person auf einem Zettel.

- Größe?
- Haarfarbe?
- Augenfarbe?
- Kleidung?
- …?

Eine Person beschreiben

Er / Sie ist alt / jung / groß / klein.
Die Haare sind blond / rot / grau / kurz / lang.
Er / Sie hat / blonde / kurze / lange Haare.
Die Augen sind blau / grün / braun / …
Er / Sie hat blaue / grüne / braune Augen.
Die Kleidung ist modern / schön / elegant / sportlich / …
Er / Sie sieht … aus.

---

b | Tauschen Sie die Beschreibungen und suchen Sie das passende Bild.

- Kurze Haare, braune Augen, … Ich glaube, das ist …
- Nein, seine Augen sind grün.
- …

 AB 4 – 5

4 Wie sehe ich denn aus?

1 🔘_49 a | Hören Sie und achten Sie auf die markierten Buchstaben.

A Wie sehe ich denn aus?
B Wieso?
A Blaue kurze Haare! Hilfe!
B Blaue Haare und grüne Augen – das passt doch gut!

E-Laute (2): kurzes, schwaches [ə]

Am Ende spricht man *e* ganz schwach: rote Haare.
In -*en* spricht man *e* oft nicht: Augen

b | Spielen Sie den Dialog. Variieren Sie. Sprechen Sie *e* am Ende ganz schwach.

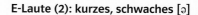 AB 13

5   Ein Fragebogen

a | Lesen Sie den Fragebogen. Um welche Arbeitsstelle geht es?

Forum	Au-pair Veranstaltungen	Au-pair Versicherung Au-pair Galerie
Vorname	Vita	Chao
Geburtsland	Ukraine	China
Alter	19	20
Geschlecht	weiblich	männlich
Familienstand	ledig	ledig
Wann möchten Sie als Au-pair beginnen?	Ende Mai	sofort
Und wie lange?	1 Jahr	1 Jahr
Führerschein?	nein	ja
Fremdsprachen?	Englisch sehr gut, Deutsch gut	Englisch gut, etwas Deutsch
Mögen Sie Tiere?	ja	ja
Wie viele Kinder kann die Gastfamilie maximal haben?	3	2
Alter der Kinder in Gastfamilie?	egal	egal
Rauchen Sie?	nein	nein
Hobbys	Englisch, Deutsch Musik Sport	Zeichnen Basketball Schwimmen

b | Welche Informationen gibt es über Vita und Chao? Notieren Sie.

Die Frau heißt _____   Der Mann _____

Sie kommt aus der _____   _____

Sie ist _____ Jahre alt.   _____

Sie ist _____   _____

Sie hat keinen _____   _____

Sie spricht _____   _____

Sie mag _____   _____

Sie raucht _____   _____

Ihre Hobbys sind _____   _____

6 E-Mail an die Gastfamilie

a | Lesen Sie die E-Mails. Welche E-Mail ist von Vita, welche von Chao?

Au-pair-ID:10264

Liebe Familie,
hier schreibe ich über mich. Mein Hobby Nummer eins
sind Sprachen! Mein Deutsch ist gut, ich kann auch
Englisch und ein bisschen Polnisch sprechen. Ich habe
einen Bruder. Er ist erst 1 Jahr alt! Ich kann ihn füttern
und wickeln. Welche Hausarbeiten kann ich machen?
Wie alle Mädchen kann ich die Wohnung aufräumen. Ich
kann ein bisschen backen. Das ist alles.
Mit freundlichen Grüßen aus Donezk

Au-pair-ID:13128

Liebe Gastfamilie,
seit vier Monaten lerne ich Deutsch. Ich möchte gut
Deutsch lernen. Ich liebe Kinder, ich kann sie gut betreu-
en. Ich helfe bei Hausaufgaben. Ich kann Auto fahren.
Ich kann Kinder in die Schule fahren und sie abholen.
Ich kann einkaufen (mit dem Auto) und kochen. Ich
möchte chinesische Gerichte für Sie kochen.
Ich wünsche alles Gute.

b | Was kann Vita, was kann Chao? Markieren Sie im Text. Notieren Sie dann die Informationen.

Vita kann gut Deutsch.

Chao kann etwas Deutsch.

7 Ihre Meinung

a | Sie brauchen ein Au-pair. Nehmen Sie Vita oder Chao?

b | Warum? Was finden Sie wichtig? Sprechen Sie.

- Chao kann kochen. Ich finde, das ist sehr wichtig.
- Ich denke, das ist unwichtig.

➥ IS 5 / 1

Das Modalverb *können*

ich kann kochen
du kannst backen
er / sie kann tanzen
wir können Auto fahren
ihr könnt Saxofon spielen
sie können Schach spielen

Was können Sie?

Die Meinung äußern

Ich finde, das ist wichtig.
Ich glaube, das ist unwichtig.
Ich denke, das ist egal.

8 Ihr Profil: Was können Sie?

a | Lesen Sie die Checkliste und ordnen Sie zuerst nur die Bilder zu.

☐	☐	☐	☐	☐

Checkliste: Was ich gut kann!

1. Ich finde leicht Kontakt zu anderen Menschen.
   Ich arbeite gern im Team.   Ja ☐   Nein ☐

2. Ich habe eine gute Kondition.
   Ich kann lange stehen oder körperlich arbeiten.   Ja ☐   Nein ☐

3. Ich kann gut mit Werkzeugen arbeiten. Ich kann alles reparieren
   (Elektrik, Auto, ...).   Ja ☐   Nein ☐

4. Ich kann am Computer mit verschiedenen Programmen
   arbeiten (Word, Excel, ...).   Ja ☐   Nein ☐

5. Ich kann gut Landkarten lesen. Ich verstehe technische Zeichnungen.   Ja ☐   Nein ☐

6. Ich bin kreativ und kann gut zeichnen / nähen / gestalten.   Ja ☐   Nein ☐

7. Ich schreibe gern Texte und kann auf Englisch / _____ (sehr gut)
   und auf _____ (gut) formulieren.   Ja ☐   Nein ☐

8. Ich bin gut in Mathematik. Ich kann gut rechnen.   Ja ☐   Nein ☐

9. Ich arbeite gern selbstständig und kann gut organisieren.   Ja ☐   Nein ☐

10. Ich kann auch: _____

___

Fähigkeiten angeben

Ich kann sehr gut organisieren.
Ich kann gut im Team arbeiten.
Ich kann ein bisschen zeichnen.

b | Was können Sie gut? Kreuzen Sie in der Checkliste an und ergänzen Sie.
Benutzen Sie eventuell auch ein Wörterbuch.

c | Suchen Sie Gemeinsamkeiten und vergleichen Sie in der Gruppe.

- Können Sie / Kannst du zeichnen?   ◻ Ja, ich kann zeichnen.
- Und wie gut?   ◻ Sehr gut! Ich kann das sehr gut.
- Können Sie / Kannst du ein Auto reparieren?   ◻ Nein, das kann ich nicht.

➥ AB 6 – 8

9 Wählen Sie eine Aufgabe.

- Machen Sie einen Fragebogen für Ihre Lernpartnerin / Ihren Lernpartner. Fragen Sie nach Alter,
  Sprachen, Hobbys usw. Stellen Sie dann Ihre Lernpartnerin / Ihren Lernpartner im Kurs vor.

  Wie alt sind Sie? | Was sind Ihre Hobbys? | Sprechen Sie … | Mögen Sie … | Können Sie?

- Sie möchten als Au-pair arbeiten. Schreiben Sie eine E-Mail an die Gastfamilie.

- Erstellen Sie Ihr Profil: Machen Sie Notizen für ein Gespräch auf der Arbeitsagentur.
  Üben Sie dann mit Ihrer Lernpartnerin / Ihrem Lernpartner.

  - Wie heißen Sie?   ◻ Mein Name ist …
  - Was sind Sie von Beruf?   ◻ Ich bin …
  - Was sind Ihre Fähigkeiten?   ◻ Ich kann gut …
  - Wie gut können Sie …?
  - Können Sie …?

10   In der Volkshochschule

Was kann man in der Volkshochschule machen? Sammeln Sie.
Schlagen Sie eventuell im Programm nach.

Sprachen | Computerprogramme | Sport | Filme |
zeichnen | nähen | kochen | …

- In der VHS kann man … lernen.
  … spielen.
  … machen.
  … sehen.
  …

VHS Mitte

Turmstraße 75
10551 Berlin
Raum 1.02
Tel. (030) 90 68 73474
(Informationen: Herr Barth)

> **Möglichkeit angeben**
>
> In der VHS können wir Deutsch lernen.
>   können Sie Karate machen.
>   kannst du kochen lernen.
>   kann man Leute kennen lernen.
>
> ➥ AB 9 – 11

11   Orientierung

  a | Was suchen die Leute? Hören Sie und verbinden Sie bitte.

Situation 1 ○   ○ Computerkurs
Situation 2 ○   ○ Tanzkurs
Situation 3 ○   ○ Arabischkurs

b | Wo sind die Kurse? Hören Sie noch einmal und ordnen Sie die Situationen zu.

☐ Gehen Sie geradeaus und vorn dann nach links.
☐ Nehmen Sie den Aufzug. Gleich hier rechts um die Ecke.
☐ Fragen Sie am besten im Sekretariat.

> **Imperativ (1)**
>
> Gehen Sie geradeaus. ↑
>   nach links. ←
>   nach rechts. →
>   um die Ecke. ⌐→
> Nehmen Sie den Aufzug.
> Fragen Sie im Sekretariat.

12   Entschuldigung, wo ist bitte …?

  a | Hören Sie. Kreuzen Sie den richtigen Weg an.

☐ ↰   ☐ ⌐   ☐ →   ☐ ⌐

  b | Wählen Sie ein Kärtchen und spielen Sie den Dialog.

A Entschuldigung, wo ist └──────────────┘?

B Gehen Sie └──────┘ und └──────┘.

A Also erst └──────┘, dann └──────┘.

B Ja, genau.

➥ AB 12

| das Sekretariat ⌐→ | das Büro von Herrn Barth ⌐ |
| die Toilette ↑ | Raum 100 ← |

13 Ist hier noch frei?

a | Sehen Sie das Bild an. Wo ist das? Wer ist auf dem Bild? Was ist die Situation?

1 ⏺ _52 b | Hören Sie. Was ist richtig? Kreuzen Sie an.

Claudia ☐ kommt pünktlich zum Deutschkurs.
☐ kommt zu spät.

Claudia ist ☐ nervös.
☐ ruhig.

Die Kursteilnehmer ☐ stellen sich vor.
☐ lesen einen Text.

Die Kursleiterin ☐ versteht Claudia gut.
☐ versteht Claudia nicht.

☐ Es ist kein Platz frei.
☐ Vorn ist noch ein Platz frei.

Claudias Familienname ☐ ist Wagner.
☐ ist Perletti.

14 Kursgespräche

a | Machen Sie drei kurze Dialoge. Wählen Sie aus. Es gibt verschiedene Möglichkeiten.

1. Ist hier der Deutschkurs? | Ist hier noch frei? | Danke! | Ja, bitte. | Bist du auch Au-pair? | Ja! Du sprichst aber schon gut Deutsch! | Bist du auch neu? | Ja, genau.

2. Können Sie das wiederholen? | Ja, natürlich. | Ich verstehe die Aufgabe nicht. | Können Sie bitte helfen? | Wie schreibt man das Wort?

3. Klar, gern. | Nein, tut mir leid. | Hast du einen Kugelschreiber? | Hier bitte. | Ich brauche einen Marker. | Danke. | Arbeiten wir zusammen?

b | Vergleichen Sie die Dialoge im Kurs.

15 Einsteigen und abfahren

Liebe Claudia,
denk bitte an die Briefe! Nimm den Bus 32 und fahr zur Post. Das Schwimmbad ist um die Ecke.
Bis später, Susanne

Imperativ (2)

Denk an die Briefe.
Nimm den Bus.
Fahr bis zur Post.
Steig an der Waldstraße **aus**.

a | Claudia fährt zur Post. Sehen Sie die Bildgeschichte an und ordnen Sie die Sätze zu.

☐ Claudia steigt aus. Sie steht am Bahnhof. Oh je, zu weit!

☐ Claudia steigt in der Schillerstraße ein.

☐ Sie steigt um und fährt zurück.

☐ Der Bus fährt los und sie schläft ein.

☐ Endlich kommt sie an. Die Post hat schon zu.

☐ Der Bus hält an. Endstation!

b | Notieren Sie die Verben aus den Sätzen in der richtigen Reihenfolge.

einsteigen,

➡ AB 14 – 15

16 Steig doch bitte ein!

1 💿_53   a | Hören Sie und achten Sie auf den Akzent. Sprechen Sie dann mit.

A Steig **ein**!   Fahr **los**!   Denk an die Br**ie**fe!
   Steig doch **ein**!   Fahr doch **los**!   Denk bitte an die Br**ie**fe!
   Steig doch bitte **ein**!   Fahr doch bitte **los**!   Denk doch bitte an die Br**ie**fe!
   Steig doch bitte endlich **ein**! Fahr doch bitte endlich **los**! Denk doch bitte mal an die Br**ie**fe!

B Ja doch! Hör jetzt endlich **auf**!

c | Spielen Sie die Dialoge. Machen Sie passende Gesten. Variieren Sie.

Halt an! | Kauf ein! | Fang an! | Hör auf! | Geh weg! | Steh auf! | …

17 Wichtige Gebäude in der Stadt

a | Sehen Sie den Stadtplan an. Finden Sie die Gebäude?

der Bahnhof | das Rathaus | die Post | die Polizei | das Kino | das Theater | die Bücherei |
der Kindergarten | die Schule | das Schwimmbad | der Zoo | die Kirche

… ist am Marktplatz.

… ist an der Ecke …straße
und …straße.

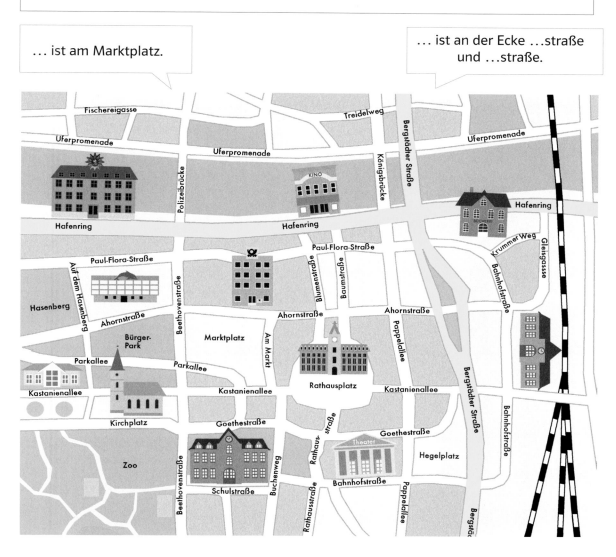

b | Welche wichtigen Gebäude gibt es in Ihrer Stadt? Sprechen Sie.

- In … gibt es einen Bahnhof, eine Post, …, aber kein Kino.
- Schade. Gibt es in … ein Kino?
- Nein, leider auch nicht.
- … ist groß. Da gibt es alles. Zum Glück!

➡ AB 16
➡ IS 5/2

Lokalangaben: in, an, auf

Wo ist …?(m/n)
im (in dem) Park (m/n)
in der Ahornstraße (f)
am (an dem) Kirchplatz (m/n)
an der Ecke (f)
auf dem Hasenberg (m/n)
auf der Brücke (f)

18 Wie komme ich zum . . .?

1 ⊙_54   a | Hören Sie das Navigationsgerät. Der Fahrradkurier ist am Rathaus.
Wo kommt er an?
Verfolgen Sie die Wegbeschreibung auf dem Display.

Biegen Sie jetzt ab!

1 ⊙_55   b | Wie kommt der Fahrradkurier vom Rathaus zur Volkshochschule?
Hören Sie die Wegbeschreibung. Was ist richtig? Kreuzen Sie an.

☐ Bieg sofort rechts ab.
☐ Fahr weiter geradeaus bis zur Ahornstraße.

☐ Bieg dann rechts ab.
☐ Bieg dann links ab.

☐ Fahr bis zur Kreuzung Blumenstraße.
☐ Fahr an der Ampel nach rechts.

c | Suchen Sie neue Ziele auf der Karte S. 87. Ihre Lernpartnerin / Ihr Lernpartner beschreibt den Weg.
Tauschen Sie dann die Rollen.

- ▪ Hallo? … hier, wie komme ich vom / von der … zum / zur …?
- ▫ Wo bist du?
- ▪ … am / in der …
- ▫ Aha, und du möchtest zum / zur …?
- ▪ Genau.
- ▫ Fahr … und dann …
- ▪ Danke, das finde ich.

➡ AB 17 – 18

Nach dem Weg fragen

Entschuldigung, wie komme ich zum Bahnhof?   (m)
zum Theater?   (n)
zur Post?   (f)
Wie komme ich vom Flughafen zum Zentrum?
Fährt der Bus zum Zoo?
Hält der Bus am Goetheplatz?
in der Schubertstraße?

19 Nehmen Sie den Bus!

a | Welche Verkehrsmittel gibt es in Berlin? Sehen Sie die Piktogramme an und ordnen Sie die Wörter zu.

der Bus | die Straßenbahn | die U-Bahn | die S-Bahn | das Taxi | der Zug |
das Flugzeug | das Schiff

1 ⊙_56   b | Hören Sie und notieren Sie: Welche Verkehrsmittel können die Reisenden am Flughafen nehmen?

1. |_____| 2. |_____| 3. |_____|

c | Wie kommen Sie zur Arbeit / zum Flughafen / nach Hause? Sprechen Sie.

- Wie kommen Sie vom Deutschkurs nach Hause?
□ Ich gehe zu Fuß. | Ich nehme …
  Ich fahre bis …, dann steige ich …

➡ AB 19 – 20
➡ IS 5 / 3

20 **Ist es noch weit?**

a | Sehen Sie das Bild an und spekulieren Sie:
Woher kommt Lukas Vogel? Wohin fährt er? Für wen sind die Blumen?

> **Der bestimmte Artikel im Akkusativ**
>
> Ich nehme **den** Bus.
> Du nimmst das Auto.
> Er nimmt **die** S-Bahn.
>
> Und was nehmen Sie?
> Ich gehe zu Fuß.

1 💿_57   b | Was ist richtig? Hören Sie und kreuzen Sie an.

☐ Der Taxifahrer hat frei.
☐ Lukas kommt aus den Ferien.
☐ Lukas fährt nach Hause.
☐ Lukas kennt die Stadt gut.
☐ Lukas kennt die neue Wohnung noch nicht.
☐ Der Taxifahrer zeigt Lukas wichtige Gebäude.
☐ Sie trinken zusammen ein Bier.
☐ Lisa ist nicht zu Hause.
☐ Max freut sich.

Entschuldigung!

a | Lesen Sie den Text.

> „Meine ersten Sätze waren ‚Entschuldigung, kann ich was sagen',
> ‚Entschuldigen Sie bitte, wie spät ist es' und ‚Entschuldigen Sie bit-
> te, kann ich noch eine Kartoffel bekommen'. Nur am Wochenende
> entschuldigte ich mich nicht. Am Wochenende machte ich mit der
> Italienerin, mit der ich zusammen Deutsch lernte, Autostop in
> Richtung Schweiz."
>
> aus: Emine Sevgi Özdamar, Die Brücke vom Goldenen Horn, Köln 1998 (S. 108)

b | Was waren Ihre ersten Sätze, Wörter in Deutschland?

c | Wann sagt man *Entschuldigung* in Ihrer Sprache / in anderen Sprachen?

Projekt: Eine Reise nach ...

Welche Stadt möchten Sie in D-A-CH kennen lernen?
Planen Sie eine Reise.

- Wie kommen Sie in diese Stadt?
- Welche Verkehrsmittel können Sie nehmen?
- Was kostet die Fahrt?
- ...

Recherchieren Sie im Internet.

Lieblingsplätze in meiner Stadt

Haben Sie einen Lieblingsplatz in Ihrer Stadt?

- Wo ist er?
- Was gibt es dort?
- Wie kommt man dorthin?
- ...

Stellen Sie den Platz, die Straße, das Gebäude, ... vor.
Bringen Sie Fotos, einen Stadtplan, ... mit.

 Ein Lied: Wasser aus der Spree

a | Welche Stadt liegt an der Spree?

b | Hören Sie das Lied von der Band Trikot.

Ich brauche keine fernen Alpen,
ich brauch kein Haus mit Pool am Meer,
ich brauch auch keine Diamanten,
denn alles, was ich brauch, hab ich schon hier:
Wasser aus der Spree

nach „Agua de Beber"
Musik: Carlos Antonio Jobim; Text: Vinicius de Moraes
© by Campidoglio Ed. Mus. Srl.
Mit freundlicher Genehmigung der
Rolf Budde Musikverlag GmbH, Berlin

 FOKUS LANDESKUNDE

Im öffentlichen Raum finden Sie viele Schilder.
Achten Sie auf die Hinweise, sie sind wichtig.

1 Was hilft?

Sie hören einen Text. Was machen Sie wann? Lesen Sie. Schlagen Sie die Beispiele im Buch nach und suchen Sie weitere.

vor dem Hören   Bild: Gibt es visuelle Informationen?   KB 3/5

Situation: Wer? Was? Wo? Wann?   KB 1/8

Aufgabe: Was möchte ich wissen? Welche Wörter brauche ich?

beim Hören   global: Was / Wie ist die Situation? Gibt es Geräusche? Wer spricht?

Wie sprechen die Personen?   KB 2/7

selektiv: Welche Informationen brauche ich? Was sind die Schlüsselwörter?

detailliert: Welche Details sind noch interessant?   KB 4/15

nach dem Hören Aufgabe / Situation: Waren meine Vermutungen richtig?   KB 4/4b

Informationen zusammenfassen: Was weiß ich jetzt?

meine Fragen: Was weiß ich noch nicht?

2 Probieren Sie es aus.

a | Sehen Sie das Bild an. Was ist die Situation? Beschreiben Sie.

1 🔘_59   b | Hören Sie. Stimmen Ihre Vermutungen? Korrigieren, ergänzen Sie.

c | Welche Details verstehen Sie noch? Lesen Sie die Fragen. Hören Sie noch einmal und beantworten Sie die Fragen.

1. Wohin möchte der Fahrgast?
2. Was hören die Personen?
3. Wer spielt? Wo?
4. Was kostet die Taxifahrt?
5. Freut sich der Fahrgast? Warum (nicht)?

d | Was trifft auf Sie zu? Kreuzen Sie an.

Ich kann den Text leicht verstehen. ☐ ja ☐ nein
Ich kann die Aufgaben leicht lösen. ☐ ja ☐ nein

Warum? Kreuzen Sie an und ergänzen Sie.

☐ Ich sehe das Bild genau an. ☐ _____
☐ Ich höre genau zu. ☐ _____
☐ Ich schreibe wichtige Wörter auf. ☐ _____

3 Noch einmal Schritt für Schritt

Überlegen Sie genau: Wie können Sie die Aufgabe lösen?

▪ Was ist die Situation?

Bild:
Wer?

Was?
Wo?

Wann?

2 Personen:
eine Frau und
ein Mann

Taxi / Auto
Straße / Verkehr
Radio

Abend / Nacht
Guten Abend!

Hören:
Stimmen?

Geräusche?

Begrüßung?

▪ Was sind die Detailfragen?

Taxifahrt:
Wo wohnt der
Fahrgast?
→ Adresse?

Was kostet die
Taxifahrt?
→ Preis?

Freut sich der
Fahrgast?
→ ☺? ☹?

Warum?
Die Taxifahrt ist billig?
Das Fußballspiel
ist gut?
…

Fußballspiel:
Wo ist das Fußball-
spiel? → Ort?

Wer spielt?
→ Städtenamen?

Was ist das Ergebnis?
→ ⎵ : ⎵ ?

STRATEGIE

Vorbereitung: Bild(er) ansehen, Ideen / Fragen sammeln, die Aufgabe genau lesen
Hören: auf Personen, Emotionen, Schlüsselwörter achten, W-Fragen beantworten
Zusammenfassen: mit den eigenen Ideen vergleichen, ergänzen, offene Fragen sammeln

4 | Jetzt sind Sie dran.

a | Arbeiten Sie zu dritt. Wählen Sie eine Situation. Machen Sie einen Dialog.
Malen Sie gemeinsam ein Bild für die Situation. Welche Geräusche gibt es in der Situation?

- Sie und eine Freundin / ein Freund machen eine Party. Sie kaufen im Supermarkt ein.
- Sie treffen Ihre Nachbarin / Ihren Nachbarn im Treppenhaus.
- Sie und Ihre Arbeitskollegin / Ihr Arbeitskollege sind in der Kantine.
- Sie fahren mit dem Zug nach …, Sie sprechen mit einem anderen Fahrgast.
- Sie treffen eine Kursteilnehmerin / einen Kursteilnehmer in der Stadt.

b | Zeigen Sie im Kurs das Bild. Spielen Sie die Situation:
Zwei Personen sprechen, die dritte Person macht Geräusche.

> Guten Morgen!
> Hallo!
> Lalala ♪♪♪

c | Was verstehen die anderen? Sprechen Sie im Kurs.

- Was ist die Situation? Wer? Was? Wo? Wann? Wie? Wie viel …?
- Welche Details gibt es?

5 Hörstrategien für Ihren Alltag

Wo brauchen Sie Strategien zum Hören? Notieren Sie.

Wo?	Was?	Welche Strategie(n)?
im Kurs	Hörtexte	
	DVD	
	Lehrer/in spricht	
zu Hause	Radio	
	Fernsehen	Bilder, Emotionen, …
	Podcasts	
im Beruf	Kollegen sprechen	
unterwegs	Ansagen (Bahnhof, Super-markt …)	Zahlen, Ortsnamen, …

1 Was hilft?

Sie lesen einen Text. Was machen Sie wann? Lesen Sie. Schlagen Sie die Beispiele im Buch nach und suchen Sie weitere.

vor dem Lesen	Bild: Gibt es visuelle Informationen? KB 4/10a
	Textsorte: Was für eine Textsorte ist es? KB 3/9
	Thema: Was ist das Thema? Welche Vermutungen, Ideen habe ich? KB 4/10
	Aufgabe: Was möchte ich wissen? Welche Wörter brauche ich? KB 1/18
erstes Lesen	nach Bekanntem suchen: Gibt es Internationalismen, Zahlen, bekannte Wörter? KB 2/5
	global: Welche W-Fragen kann ich beantworten? KB 3/11
zweites, drittes Lesen	selektiv: Welche Informationen brauche ich? Was sind die Schlüsselwörter? KB 2/12b
	detailliert: Welche Details sind noch wichtig, interessant? KB 2/12c
nach dem Lesen	Aufgabe / Thema: Waren meine Vermutungen richtig? AB 4/13
	Informationen zusammenfassen: Was weiß ich jetzt?
	meine Fragen: Was weiß ich noch nicht? KB 5/6b

2 Probieren Sie es aus.

a | Sehen Sie den Text an, aber lesen Sie den Text noch nicht. Welche Informationen haben Sie schon vor dem Lesen?

Wochenblatt

Alles über Schokolade

Keine Schokolade ohne Kakao. Die braunen Bohnen kommen aus Südamerika, in Europa gibt es sie erst seit 500 Jahren. Heute gibt es Schokolade überall auf der Welt. Viele Menschen lieben Schokolade und essen sie sehr oft. Die Schweizer sind Weltmeister im Schokolade-Essen: Sie essen pro Kopf jährlich circa 10 Kilo. Auch die Deutschen mögen Schokolade. Mit 9 Kilo Schokolade sind sie hinter den Schweizern, den Norwegern und den Belgiern auf Platz 4.

Normale Vollmilchschokolade finden einige Schokoladenliebhaber langweilig. Sie mögen besondere Kreationen: Schokolade mit Chili oder

Käse. Auf dem deutschen Schokoladenmarkt findet man interessante Geschmacksrichtungen, zum Beispiel Vollmilchschokolade mit Käse, Schokolade mit Ananas, Paprika und Chili oder mit Minze und Blumen.

b | Lesen Sie jetzt den Text. Was ist das Thema? Suchen Sie nach den wichtigsten Informationen: Wer? Was? Wo?

c | Lesen Sie den Text noch einmal. Beantworten Sie die Detailfragen: Woher kommt Kakao? Wer isst viel Schokolade? Welche Schokoladensorten gibt es im Text?

d | Fassen Sie die Informationen zusammen.

e | Was trifft auf Sie zu? Kreuzen Sie an.

Ich kann den Text leicht verstehen. ☐ ja ☐ nein
Ich kann die Aufgaben leicht lösen. ☐ ja ☐ nein

Warum? Kreuzen Sie an und ergänzen Sie.

☐ Ich sehe den Text genau an. ☐ |_____|
☐ Ich lese zuerst global. ☐ |_____|
☐ Ich markiere Schlüsselwörter. ☐ |_____|

3 Noch einmal Schritt für Schritt

Überlegen Sie genau: Wie können Sie die Aufgabe lösen?

▪ Was wissen Sie schon vor dem Lesen?

den Text ansehen → Titel, Bilder, Textsorte

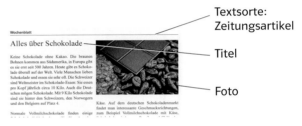

Textsorte: Zeitungsartikel
Titel
Foto

Fragen lesen und überlegen: Welche Informationen brauche ich für die Antworten?
→ ein Wort, eine Zahl, einen Ort, einen Satz, alle Informationen aus dem Text?

Woher kommt Kakao? → **Ort**
Wer isst viel Schokolade? → **Menschen**
Welche Schokoladensorten gibt es im Text? → **Lebensmittel**

▪ Was hilft beim ersten Lesen?

zuerst global lesen und nach den wichtigsten Informationen suchen
→ Wer? Was? Wo? Wann? Stimmen meine Vermutungen?

→ nach bekannten Wörtern, internationalen Wörtern, Zahlen, Länder- oder Ortsnamen, … suchen

Alles über Schokolade

Keine Schokolade ohne Kakao. Die braunen Bohnen kommen aus Südamerika, in Europa gibt es sie erst seit 500 Jahren. Heute gibt es Schokolade überall auf der Welt. Viele Menschen lieben Schokolade und essen sie sehr oft. Die Schweizer sind Weltmeister im Schokolade-Essen: Sie essen pro Kopf jährlich circa 10 Kilo. Auch die Deutschen mögen Schokolade. Mit 9 Kilo Schokolade sind sie hinter den Schweizern, den Norwegern und den Belgiern auf Platz 4.

▪ Was hilft beim zweiten und dritten Lesen?

→ Schlüsselwörter zu den Fragen suchen und markieren

→ noch einmal lesen und nach wichtigen oder interessanten Details suchen

Käse. Auf dem deutschen Schokoladenmarkt findet man interessante Geschmacksrichtungen, zum Beispiel Vollmilchschokolade mit Käse, Schokolade mit Ananas, Paprika und Chili oder mit Minze und Blumen.

▪ Was hilft nach dem Lesen?

Was weiß ich jetzt?

→ die Informationen zusammenfassen, den Text noch einmal lesen
und die Antworten überprüfen

Was weiß ich noch nicht?
Was möchte ich wissen?

→ Fragen notieren

Europa:
seit 500 Jahren

Woher?
Südamerika

Wer?
Schweizer, Norweger,
Belgier, Deutsche

Schokolade

Wie viel?
Schweizer: 10 Kilo
Deutsche: 9 Kilo

Ist Vollmilchschokolade
langweilig?

**Schmeckt Schokolade
mit Käse??**

Schokoladensorten?

Chili,   Ananas,   Minze,
Käse   Paprika,   Blumen
            Chili

STRATEGIE

Vorbereitung: Text ansehen (Überschrift, Thema, Textsorte, Bilder), eigene Ideen zum
Thema aktivieren, Aufgabe genau lesen und Ideen / Fragen sammeln
Beim Lesen: auf bekannte Wörter achten, nach den wichtigsten Informationen
suchen, Schlüsselwörter markieren
Nach dem Lesen: den Text kurz zusammenfassen, Tabelle oder Schaubild machen,
Fragen notieren

4 Jetzt sind Sie dran.

▪ Suchen Sie interessante Texte im Internet, in der Zeitung, in der Bücherei, … und bringen Sie die Texte in
den Kurs mit.

▪ Formulieren Sie Fragen zu den Texten. Formulieren Sie auch Tipps für die Antworten.

▪ Arbeiten Sie in Gruppen. Lesen Sie Ihre Texte und beantworten Sie die Fragen.
Besprechen Sie gemeinsam Antwort und Lösungsweg.

5 Lesestrategien für Ihren Alltag

Wo brauchen Sie Strategien zum Lesen? Notieren Sie.

Wo?	Was?	Welche Strategie(n)?
privat	Zeitungsartikel	Überschrift, Bilder, ….
im Beruf	E-Mail	
unterwegs	Werbung	Bilder, Zahlen (Preis), ….
öffentlich	Formular	Name, Adresse, Nummern, …

Gesprächssituationen

Sie möchten nach dem Befinden fragen.

A Ach, guten Morgen, Herr … /
   Frau … Wie geht es Ihnen?
B Danke, ganz gut.
   Und bei Ihnen, alles okay?
A Ja, ja, sicher, alles prima.
B Und die Kleinen?
A Entschuldigung, was sagen Sie?
B Die Kinder. Wie geht es Ihren
   Kindern?
A Ach so, ja: Danke, alles gut.
B Schön, das freut mich.
A Ja, dann. Ich muss …
   Schönen Tag noch!
B Danke, Ihnen auch, Herr … / Frau …

Sie möchten einen Vorschlag ablehnen.

A Hi …! Wie geht's?
B Tag … Geht so.
A Hast du Stress?
B Ja, viel Arbeit, wenig Freizeit.
   Leider.
A Ach so. Hm, was machst du heute
   Abend? Gehen wir ins Kino / …?
B Nee, keine Zeit. Tut mir leid.
A Schade! Also dann! Tschüss.
B Tschüss und viel Spaß!

Sie möchten nach dem Weg fragen.

A Entschuldigung. Ich suche … Können
   Sie mir helfen?
B Hm, ja, Moment … Sie gehen hier
   rechts und dann links … oder …
A Entschuldigen Sie, können Sie das
   bitte nochmal …
B Ja, jetzt weiß ich: Hier zuerst rechts
   und dann gleich links …
A Okay, hier rechts, dann links.
B Ja, genau, und da sehen Sie … schon.
A Danke, vielen Dank!
B Gern. Tschüss. / Wiedersehen.

Redemittel – Bausteine

Begrüßen, sich vorstellen und Gespräch eröffnen

Hallo! Hi!
Guten Tag! Tag!
Guten Morgen!
Guten Abend!

Mein Name ist … / Ich bin … /
Ich bin Ihr Nachbar / Ihre Nachbarin.

Wie geht's? Alles okay?
Wie geht es Ihnen?

Jemanden ansprechen, um etwas bitten, etwas vorschlagen

Entschuldigung! / Entschuldige! /
Entschuldigen Sie (bitte)!
Ist hier frei?

Ich habe ein Problem.
Kannst du mir helfen?
Können Sie mir helfen?

Was machst du …? / Was machen
Sie …?
Gehen wir …? / Machen wir …?

Reaktionen

Bestätigung:
Schön. / Das freut mich.
Aha. / Interessant.

Bedauern:
Leider. / Schade.

Dank:
Das ist nett. / Danke! / Vielen Dank!

Auf Dank reagieren:
Gern! / Kein Problem!

Sie möchten sich verabreden.

A Hallo! Wann machen Sie Pause?
B Um … Machen wir zusammen
   Mittagspause?
A Ja, gern. Gehen wir in die Kantine?
B Was gibt es denn da heute?
A Ich glaube, …
B Das ist gut, ich mag …
A Also dann bis …
B Bis später, Herr / Frau …

Sie möchten etwas ausleihen.

A Guten Abend, … ich bin …, Ihr Nachbar /
   Ihre Nachbarin. / Ich wohne unten / oben.
B Guten Abend …
A Entschuldigen Sie, ich habe ein Problem.
   Ich möchte …, aber ich habe kein …
B Kein Problem.
A Das ist nett. Vielen Dank.
B Gern. Tschüss.

Sie möchten Kontakt aufnehmen.

A Entschuldigen Sie bitte. Ist hier frei?
B Ja, sicher, bitte.
A Danke, das ist nett.
B Ach, süß. Ist das Ihr Baby / Kind?
A Ja, das ist …
B Wie bitte? Wie heißt die Kleine / der Kleine?
A …
B Aha, interessant. Schöner Name!
   Na dann … Alles Gute!
A Danke! Wiedersehen!

Sie verstehen etwas nicht und fragen nach.

A Guten Tag, mein Name ist …
B Guten Tag, wie heißen Sie bitte? Können Sie
   bitte buchstabieren?
A …
B Ah, ja, Herr … / Frau …, was kann ich für Sie tun?
A Ich möchte … / suche … / brauche …
   Hmm, wie heißt das auf Deutsch?
B …
A Ich verstehe nicht. Noch einmal bitte!
B …
A Ah, okay. Ich verstehe … Dann vielen Dank.
B Gern. Auf Wiedersehen.
A Auf Wiedersehen.

Nachfragen

Wie bitte? / Ich verstehe nicht. / Was sagst du? / Was sagen Sie?
Noch einmal bitte. / Kannst du das bitte wiederholen / noch einmal sagen? / Können Sie das bitte wiederholen / noch einmal sagen?
Wie heißt das auf Deutsch?
Kannst du das bitte buchstabieren? Können Sie das bitte buchstabieren?

Gespräch beenden und sich verabschieden

Ich muss … / Also dann … / Ja dann / Na dann …
Schönen Tag noch! / Viel Spaß! / Alles Gute!
Tschüss! / (Auf) Wiedersehen! / Bis später! / Bis bald!

1 Alles neu

Nomen

das Haus	
die Wohnung	
der Balkon	
die Tür	
das Fenster	
die Klingel	
das Auto	
das Handy	
die Lampe	
der Mann	
die Frau	
das Kind	
die Nachbarin	
der Sohn	Max ist der Sohn von Lisa.
der Sportlehrer	
der Vogel	
der Hund	
das Hotel	
die Bank	
das Rathaus	
das Amt	... auf dem Amt
der Name der Vorname der Familienname	Mein Name ist ... Wie ist Ihr Vorname?
die Adresse	
der Ort der Wohnort	
die Straße	
der Platz	
die Allee	
die Zahl die Postleitzahl	
die Nummer die Hausnummer die Telefonnummer	
die E-Mail-Adresse	
das Land	

Verben

sein	Ich bin ...
kommen	
heißen	
wohnen	
buchstabieren	Buchstabieren Sie bitte!

! TIPP

Markieren Sie die Artikel farbig: maskulin **blau**, neutral **grün** und feminin **rot**.

Fragewörter

Wo?	Wo wohnen Sie?
Woher?	
Wer?	
Wie?	

Kleine Wörter

ja ↔ nein	
und	Das sind Max und Lisa.
da	
hier	
bitte	
sehr	

Adjektive

neu	
nett	*sehr nett, nicht nett*
unsympathisch	
interessant	
aggressiv	
fröhlich ↔ traurig	
super	
nah	*Paul wohnt ganz nah.*

Wendungen

Hallo!	
Willkommen!	
Guten Tag! Grüß Gott! (süddt., österr.)	
Tschüss!	
Auf Wiedersehen!	
Entschuldigung!	
Wie bitte?	
Freut mich.	
Danke.	

- Welche Wörter kennen Sie schon? Markieren Sie.
- Welche Wörter sind in Ihrer Sprache ähnlich?
- Notieren Sie:

In diesen Ländern spricht man Deutsch:

Ihr Land:

- Notieren Sie Wörter mit Doppelkonsonanten.

Nummer [ ]

bitte [ ]

interessant [ ]

Hallo [ ]

- Wie spricht man Doppelkonsonanten? Sehen Sie in der Tabelle auf Seite 186 nach.

TIPP

Malen Sie Bilder, schreiben Sie Beispielsätze.

Meine Lieblingswörter

Schwierige Wörter

Mein Lieblingssatz

→ KB 1   **1** ## Guten Tag! Auf Wiedersehen!

a | Was sagt man zur Begrüßung? Was sagt man zum Abschied?
      Sortieren Sie bitte.

Guten Tag! | Servus! | Tschüss! | Grüß Gott! | Auf Wiedersehen! | Hallo!

Begrüßung	Abschied
Guten Tag!	

b | Was sagt man noch?
→ AB S. 110

TIPP
Verbinden Sie Wörter
mit Bildern.

→ KB 2, 3   **2** ## Ihr Bildlexikon

Schreiben Sie die Wörter zum Bild.

das Haus | der Balkon | das Fenster | die Tür | die Klingel | der Mann | die Frau |
das Kind | das Auto | der Vogel | der Hund | das Handy | die Lampe

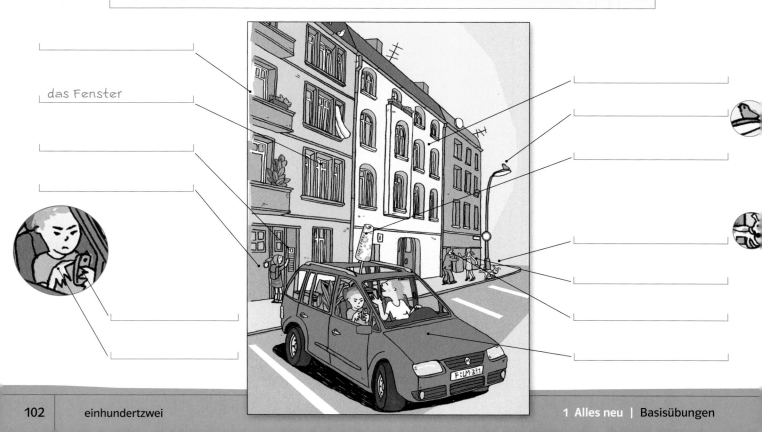

das Fenster

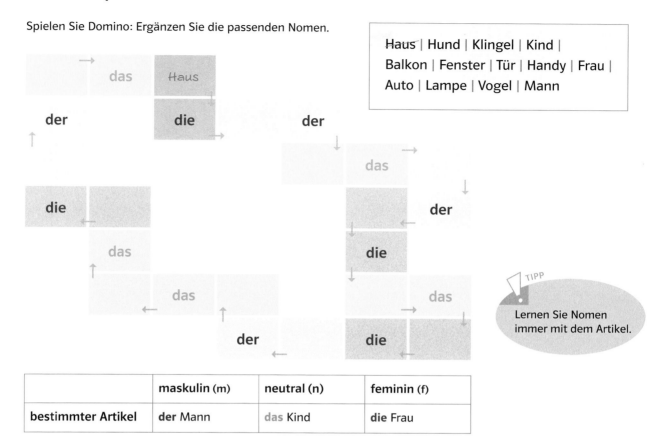

3 Domino-Spiel

Spielen Sie Domino: Ergänzen Sie die passenden Nomen.

| Haus | Hund | Klingel | Kind | Balkon | Fenster | Tür | Handy | Frau | Auto | Lampe | Vogel | Mann |

das Haus

der   die   der

das

die   der

das   die

das   das

der   die

TIPP
Lernen Sie Nomen immer mit dem Artikel.

	maskulin (m)	neutral (n)	feminin (f)
bestimmter Artikel	**der** Mann	**das** Kind	**die** Frau

4 Groß oder klein?

Ergänzen Sie bitte.

Namen (Person, Stadt, Land), Nomen	andere Wörter
Lisa, das Haus,	heißen,

FOKUS SPRACHE

Namen und Nomen schreibt man
☐ groß. ☐ klein.

Am Satzanfang schreibt man
☐ groß. ☐ klein.

5 Ihre Sprache / Andere Sprachen

Vergleichen Sie.

	Deutsch	Ihre Sprache	Englisch		
bestimmter Artikel	der, das, die				
Das schreibt man groß:					

_1   **6   Rhythmus-Muster**

a | Hören Sie die Beispiele.

Guten Tag! | Grüß Gott! | kommen | Deutschland | das Haus | die Nummer | Servus! | Tschüss!

b | Schreiben Sie Kärtchen.

Nomen mit einer Silbe und Artikel	*Nomen mit zwei Silben und Artikel*	*Verb mit zwei Silben*	*Land mit zwei Silben*
● ●	● ● ●	● ●	● ●
Begrüßung	*Begrüßung*	*Abschied*	*Abschied*
● ●	● ● ●	●	● ●

c | Ziehen Sie ein Kärtchen. Summen Sie den Rhythmus. Suchen Sie dann ein passendes Wort
und sprechen Sie. Wer macht es richtig?

↳ KB 4   **7   Herzlich willkommen!**

a | Ordnen Sie die Dialogteile zu.

> Woher kommen Sie? | Herzlich willkommen! |
> Tag. Ich bin Eva Bauer.

▪ Guten Tag. Ich bin Mona Sanchez.

▫ _____

▪ _____

▫ Aus Hamburg.

▪ _____

▫ Danke!

_2   b | Hören Sie den Dialog.

c | Lesen Sie den Dialog laut.

→ KB 5–7 **8** ## Was passt zusammen?

Verbinden Sie die Puzzleteile zu Sätzen. Wie viele Sätze finden Sie?

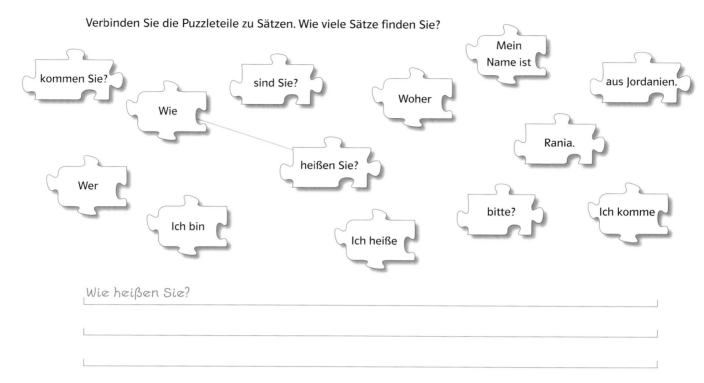

Wie heißen Sie?

_____

_____

9 ## Begrüßung im Kurs

_3   a | Hören Sie.

b | Rekonstruieren Sie den Dialog und ergänzen Sie mit Ihren Angaben.

▪ G . . . . T . . ! I . . b . . . ⌐_____⌐ . U . . w . . h . . . . . . S . .?
                                    (Ihr Name)

□ I . . h . . . . . ⌐_____⌐ . W . . . k . . . . . S . .?
                      (Partnername)

▪ I . . k . . . . a . . . ⌐_____⌐ . U . . S . .?
                            (Ihr Herkunftsland)

□ I . . k . . . . a . . . ⌐_____⌐ .

▪ W . . b . . . . ?

□ ⌐_____⌐ .

▪ A . . ! F . . . . m . . . !

c | Spielen Sie den Dialog.

10 Sätze

a | Markieren Sie bitte die Verben.

1. Guten Tag, ich **bin** Saad Abdallah.
2. Mein Name **ist** Lola Campos.
3. Woher **kommen** Sie?

4. Ich **komme** aus Peru. Und Sie?
5. Aus dem Irak.
6. Aha, interessant!

b | Schreiben Sie die Sätze in die Tabelle.

	Position 1	Position 2 Verb	
1. Guten Tag,	ich	bin	
2.		ist	
3.	Woher	kommen	?
4.			aus Peru. Und Sie?
5.			
6. Aha,			

FOKUS SPRACHE

Die Sätze 1, 2, 3, 4 sind grammatisch komplett.

Diese Sätze sind grammatisch nicht komplett:
Und woher kommen Sie?
Ich komme Aus dem Irak.
Aha, das ist interessant!

→ KB 9

11 Kontakte im Park

a | Ergänzen Sie bitte die Personalpronomen.

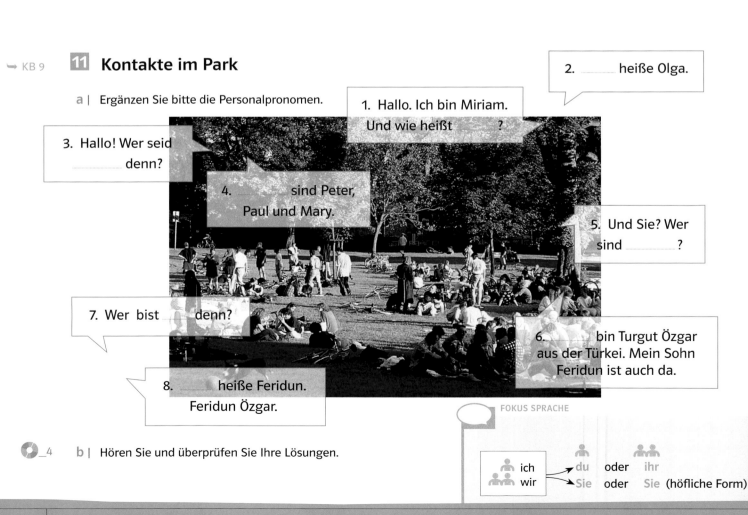

2. _____ heiße Olga.

1. Hallo. Ich bin Miriam. Und wie heißt _____?

3. Hallo! Wer seid _____ denn?

4. _____ sind Peter, Paul und Mary.

5. Und Sie? Wer sind _____?

7. Wer bist _____ denn?

6. _____ bin Turgut Özgar aus der Türkei. Mein Sohn Feridun ist auch da.

8. _____ heiße Feridun. Feridun Özgar.

🔊 _4 b | Hören Sie und überprüfen Sie Ihre Lösungen.

FOKUS SPRACHE

ich → du oder ihr
wir → Sie oder Sie (höfliche Form)

TIPP

Im Wörterbuch finden Sie Verben im Infinitiv: wohnen, kommen, sein, ...

→ KB 10, 11 **12** | **wohnen, kommen, sein**

Ergänzen Sie bitte.

	Verb			Verb	
	sein			**wohnen** **kommen**	
Ich	bin	Miriam,		wohne	in Leipzig.
Du		Olga,	du		aus Moskau.
Wir		Peter, Paul und Mary,			in der Schillerstraße.
	seid	sehr nett,	ihr	kommt	sicher aus England.
Sie		also Herr Özgar,			in Köln.
Und	sind	Herr und Frau Anderson,		kommen	bestimmt aus Schweden!

13 | **Wo wohnen Sie?**

Ordnen Sie bitte zu.

die Königstraße | die Lange Straße | Graz | die Goetheallee |
der Vogelweg | der Schillerplatz | Hamburg | der Beethovenweg
der Maria-Theresia-Platz | die Neugasse |

Ich wohne ...   in   in der   im   am

                                     Königstraße   Vogelweg

→ KB 12 **14** | **Ein Buchstabe fehlt**

a | Welcher Buchstabe fehlt? Sprechen Sie wie im Beispiel.

_ aus   • Ich glaube, hier fehlt das ‚ha'.
         □ Ja, genau! Es heißt Haus.

Ha__s   _alkon   Na_e   K_ingel   Fens_er   M_nn   Na_hbarin
_ogel   Wo_nung   _ahl   Stra_e   fr_hlich   Plat_

b | Notieren Sie fünf weitere Wörter für Ihre Lernpartnerin / Ihren Lernpartner.

15 Zahlen

FOKUS SPRACHE

a | Zahlen schreiben:

Zahlen lesen und schreiben
41
einundvierzig

- Schreiben Sie die Zahlen 41, 43, …, 51 als Wort auf ein Blatt Papier.
  Ihre Lernpartnerin / Ihr Lernpartner schreibt die Zahlen 42, 44, … 52.
  Vergleichen Sie.

- Schreiben Sie die Zahlen als Wörter. Markieren Sie besondere Formen.

1 eins	11	21	100
3	13	30	33
6	16	60	66
7	17	70	77

b | Zahlen sprechen:

- Sprechen Sie die Zahlen oben
  (1, 11, 21, …) abwechselnd schnell.
  Korrigieren Sie sich gegenseitig.

Nein, es heißt nicht dreißigdrei.
Es heißt dreiunddreißig.

- Führen Sie die Zahlenreihe weiter: 2, 3, 5, 8, 13, …

c | Zahlen hören und verstehen:

- Zeichnen Sie ein Bingofeld auf ein Blatt Papier.
  Schreiben Sie Zahlen in das Feld (zum Beispiel:
  1-16 / 1-25 / 1-49 / 50-98). Ein Spielleiter liest Zahlen vor.
  Wer zuerst eine Reihe hat (,   oder), hat gewonnen.

1	4	10	2	21
5	11	13	24	3
16	8	6	12	19
7	23	15	9	25
22	14	16	20	17

16 Ihre Sprache / Andere Sprachen

Schreiben Sie die Zahl 21 als Wort. Vergleichen Sie.

Deutsch	Ihre Sprache	Englisch	Französisch		
		twenty-one	vingt-et-un		

→ KB 16, 17 **17** **Auf dem Amt: Persönliche Zahlen**

_5 a | Hören Sie den Dialog. Ergänzen Sie die Zahlenangaben.

- Ihre Adresse, bitte?

- Und Ihre Telefonnummer?

- Noch einmal, bitte.

- Haben Sie auch eine Handynummer?

▫ Ottostraße ⌐___⌐ in ⌐_____⌐ , Hochstadt.

▫ ⌐_____⌐

▫ ⌐_____⌐

▫ Ja klar. ⌐_____⌐

b | Spielen Sie den Dialog mit Ihren persönlichen Angaben.

18 **Auf dem Amt: Fragen zur Person**

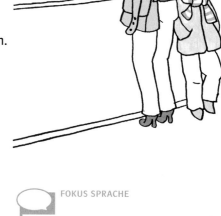

Wo? Woher? Wer? Wie?

a | Formulieren Sie die Fragen.

1. ⌐_____⌐ Agnieszka Brzinsky.

2. ⌐_____⌐ A-G-N-I-E-S-Z-K-A B-R-Z-I-N-S-K-Y.

3. ⌐_____⌐ Ich komme aus Krakau.

4. ⌐_____⌐ In Cuxhaven.

5. ⌐_____⌐ Das ist Marek, mein Sohn.

6. ⌐_____⌐ Natürlich auch in Cuxhaven.

b | Schreiben Sie drei W-Fragen in die Tabelle.

W-Fragen

Fragewort	Position 2 Verb	
Wie	....	.... ?
....	kommen	.... ?
....	....	.... ?

⌐ FOKUS SPRACHE

W-Fragen:
Das Verb steht auf Position ⌐___⌐ .

Grüß Gott und Servus! – Begrüßungen regional

a | Was sagt man in Ihrer Region? Notieren Sie in der Karte.

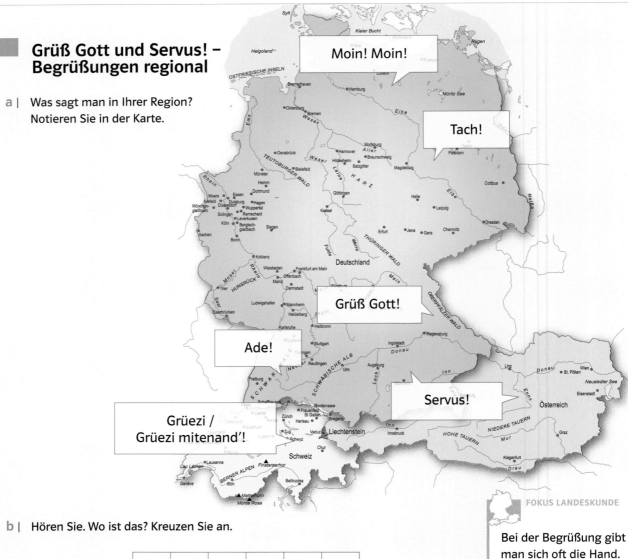

Moin! Moin!

Tach!

Grüß Gott!

Ade!

Servus!

Grüezi / Grüezi mitenand'!

_6   **b |** Hören Sie. Wo ist das? Kreuzen Sie an.

	1	2	3	4	5	6
Süddeutschland						
Norddeutschland						
Österreich						
Schweiz						

FOKUS LANDESKUNDE

Bei der Begrüßung gibt man sich oft die Hand.

FOKUS LANDESKUNDE

In Österreich gibt es oft drei Angaben: 56 = Hausnummer, 3 = Stiege / Eingang, 7 = Wohnungsnummer

DACH-Post

Schreiben Sie das passende Länderzeichen D, A, CH zur Postleitzahl.

①

Brigitta Neumann
Hoffmansthalstr. 56 / 3 / 7

☐ 7053 Eisenstadt

②

Marietta Kaiser
Wilhelmstr. 45

☐ 97633 Trappstadt

③

André Höhnli
Rosengässli 3

☐ 4614 Hägendorf

Herzlich willkommen!

Welche Sprachen kennen Sie?
Lesen Sie laut.

Hoș geldiniz
Isten hozta!
Srdečně vás vítáme
Hartelijk welkom!
ብድሕን ምጽኢ
እንኳን
ደህና መጣችሁ
Bienvenido
Sànnu dà zuwà
Dobro došli
Latscho diwes sintiwale e romale
සාදරයෙන්
පිළිගනිමු.
Добро дошли
E Kaabo
Herzlich Willkommen

 _7

Mit Sprache spielen

Lesen, hören, variieren Sie.

Konstellation

baum
baum kind

kind
kind hund

hund
hund haus

haus
haus baum

baum kind hund haus

eugen gomringer

wohnung
wohnung auto

→ ankommen
? willkommen ?
weggehen →

→ ankommen
! willkommen !
....

Glück

„Meine Glückszahl ist die 7."
„Meine Glückszahl ist die 13."
„Und meine Glückszahl ist die 5."
„ Wieso das?"
„So lange bin ich schon hier."

Nach Hans Manz

Erste Nomen

Machen Sie Ihr Bildlexikon.

die Tür
das Fenster
…

Erste Adjektive

Charakterisieren Sie die Personen.

nett
(un)sympathisch
fröhlich
aggressiv
…

ich   *bin*

du   *sehr*

er

sie

wir

ihr

sie

Sie

Personenangaben

Das bin ich: Schreiben Sie einen kurzen Text über sich selbst. (Wer? Woher? Wo jetzt? …)

Name:
Land:
Wohnort:
Straße:
Telefonnummer:

So sage ich: jemanden begrüßen / jemanden verabschieden

Nachbar / Nachbarin:

Lehrer / Lehrerin:

Lernpartner / Lernpartnerin:

Nomen: bestimmter Artikel – Singular

maskulin	neutral	feminin
der Mann	das Kind	die Frau
der Balkon	das Haus	die Wohnung

Verben: Konjugation Präsens

	heißen	kommen	sein
ich	heiße	komme	bin
du	heißt*	kommst	bist
er / sie	heißt	kommt	ist

	heißen	kommen	sein
wir	heißen	kommen	sind
ihr	heißt	kommt	seid
sie	heißen	kommen	sind

	heißen	kommen	sein
Sie (Sg. + Pl.)	heißen	kommen	sind

Ebenso: wohnen, glauben, buchstabieren, …

* Verbstamm auf -s, -ß -z: nur -t

- Markieren Sie gleiche Verbformen.
- Wie viele Personen-Endungen gibt es? Ergänzen Sie.

ich: └────────┘

du: └────────┘

er / sie, ihr: └────────┘

wir, sie, Sie: └────────┘

Es gibt └────┘ Personen-Endungen.

Wortstellung: W-Frage, Aussagesatz

		Position 2	
W-Frage	Wo	wohnt	ihr?
Aussagesatz	Wir	wohnen	jetzt in Aachen.

		Position 2	
W-Frage	Woher	kommen	Sie?
Aussagesatz	–	–	Aus Russland.

		Position 2	
W-Frage			
Aussagesatz			

> **TIPP**
> Lernen Sie eine Verbkonjugation auswendig: Die Personen-Endungen sind meistens gleich.

> ich komme, du kommst, er / sie kommt, wir …

- Schreiben Sie eine W-Frage und einen Aussagesatz.

- Ergänzen Sie:

  Im grammatisch kompletten Aussagesatz und in der └────────────────┘ steht

  das Verb auf Position 2.

Erster Eindruck

Person 1 | Person 2 | Person 3 | Person 4

a | Wie sind die Personen? Sehen Sie die Fotos an und notieren Sie bitte.

☺	☻	☹
sehr sympathisch / nett	sympathisch	nicht so sympathisch / nett unsympathisch
sehr interessant	interessant	nicht sehr interessant
sehr fröhlich	fröhlich	nicht so fröhlich

_1

b | Sehen Sie Film 1 (ohne Untertitel) und sprechen Sie mit Ihrer Lernpartnerin / Ihrem Lernpartner.

▪ Person 3 ist sehr ...   □ Ja, Person 3 ist ... / Nein, Person ist nicht ...

c | Sehen Sie den Film noch einmal. Notieren Sie die Informationen für <u>eine</u> Person.

Steckbrief: Person 1

Familienname:
— — — z

Vorname:
— r — — z

Wohnort:
K — — — — — g e —

Steckbrief: Person 2

Vorname:
J — — — c e

Wohnort:
— — — — — — —

Steckbrief: Person 3

Familienname:
— i e — — — e

Vorname:
— i — e

Wohnort:
— — — — — — — — t

Steckbrief: Person 4

Familienname:
— c k — — — — —

Vorname:
— — — — — — —

Wohnort:
— n g — — — — — — — —

d | Stellen Sie eine Person vor.

▪ Er / Sie heißt ... Der Vorname ist ...   □ Wie bitte? Buchstabieren Sie bitte.

▪ ...

2 Deutschlandkarte

a | Wer wohnt wo? Schreiben Sie den Namen zum Wohnort in die Karte.

b | Wer sagt was? Schreiben Sie die Begrüßungen zu den Personen.

Tag!

Grüß Gott!

Guten Tag!

Hallo!

c | Wo ist das? Ordnen Sie die Fotos der passenden Stadt zu.

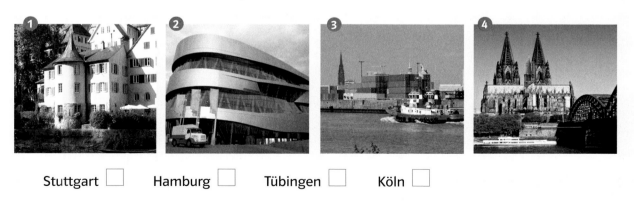

Stuttgart ☐   Hamburg ☐   Tübingen ☐   Köln ☐

3 Quizfrage

Wo ist im Film die Hausnummer 47? Suchen Sie bitte.

2 Von früh bis spät

TIPP

Markieren Sie
die Artikel farbig.

Nomen

der Montag	am Montag, montags
der Dienstag	
der Mittwoch	
der Donnerstag	
der Freitag	
der Samstag	
der Sonntag	

der Morgen	am Morgen, morgens
der Vormittag	
der Mittag	
der Nachmittag	
der Abend	
die Nacht	in der Nacht, nachts
das Wochenende	Arbeiten Sie am Wochenende?

der Beruf	
der Arzt die Ärztin	
der Psychologe die Psychologin	
der Taxifahrer die Taxifahrerin	Matthias Schenk ist Taxifahrer.
der Krankenpfleger die Krankenschwester	
der DJ ['diːdʒeɪ]	
die Hausfrau der Hausmann	
der Bäcker die Bäckerin	
der Ingenieur die Ingenieurin	
der Lehrer die Lehrerin	
der Kellner die Kellnerin	
der Polizist die Polizistin	
der Koch die Köchin	

die Sekretärin	
die Hebamme	
der Bauarbeiter die Bauarbeiterin	
der Raumpfleger die Raumpflegerin	
der Student die Studentin	
der Kollege die Kollegin	
(der) Herr (die) Frau	Guten Morgen, Frau Montes!

der Eingang	
das WC	
die Information	
das Café	
der Aufzug	
die Station	die Intensivstation
das Krankenhaus	Sie arbeitet im Krankenhaus.

das Restaurant	
die Schule	
der Supermarkt	
das Büro	
die Disco	Jan arbeitet in der Disco.
die Arbeit	

Verben

arbeiten	Ich arbeite bei Bosch.
haben, hat Dienst haben frei haben Zeit haben Stress haben	Am Sonntag habe ich frei.
schlafen, schläft	
frühstücken	
spielen Saxofon spielen	Lisa spielt mit Max. Jan spielt Saxofon.
kochen	
putzen	
telefonieren	
einkaufen gehen, geht einkaufen	
fernsehen, sieht fern	Ich sehe abends oft fern.
hören Musik hören	Ich höre viel Musik.
machen Yoga machen	
studieren	

Adjektive

gut ↔ schlecht	
viel ↔ wenig	Ich habe wenig Zeit.
freundlich ↔ unfreundlich	
interessant ↔ langweilig	
ruhig ↔ stressig	Die Arbeit ist stressig.
fit ↔ müde	

Fragewörter

Was?	Was machen Sie abends?
Wann?	
Warum?	Warum arbeitet er gern nachts?

Wendungen

von früh bis spät	
rund um die Uhr	
zu Hause	
Guten Morgen!	
Wie geht's? Wie geht es dir / euch / Ihnen?	
Mir geht es gut / schlecht.	☺ ☹
Darf ich vorstellen?	
Angenehm.	

Kleine Wörter

oder	
vielleicht	
mit	
immer	
oft	
manchmal	
nie	

- Welche Wörter kennen Sie schon? Markieren Sie.
- Welche Wörter sind in Ihrer Sprache ähnlich?

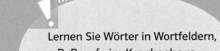

TIPP

Lernen Sie Wörter in Wortfeldern, z. B. Berufe im Krankenhaus: der Arzt / die Ärztin, die Kranken- schwester / …, …

Meine Lieblingswörter

Schwierige Wörter

Mein Lieblingssatz

➜ KB 1

🔘_8

1 Was sind sie von Beruf?

a | Was passt zusammen? Hören Sie und ordnen Sie die Geräusche den Fotos zu.

Geräusch ⌞___⌟   ⌞___⌟   ⌞___⌟   ⌞___⌟   ⌞___⌟

b | Notieren Sie die Berufe.

A ⌞_Er ist_____⌟   B ⌞_Sie_____⌟   C ⌞_____⌟

D ⌞_____⌟   E ⌞_____⌟

2 Berufe: maskulin / feminin

Sortieren Sie bitte.

> Kellner | Taxifahrerin | Lehrerin | Hausfrau | Kellnerin | Ingenieur | Lehrer |
> Taxifahrer | Psychologe | Krankenschwester | Psychologin | Ingenieurin

maskulin	feminin
der Kellner,	die Kellnerin,

FOKUS SPRACHE

Berufe:
Die feminine Form hat
oft die Endung ⌞____⌟.

Er ist Lehrer / Psychologe.
Sie ist Lehrerin / Psychologin.

3 Welche Antwort passt nicht?

Markieren Sie bitte.

1. Was sind Sie von Beruf?

a. Ich bin Lehrerin.
b. Ich arbeite als Kellnerin.
c. Ich arbeite in der Nacht.

2. Wann arbeiten Sie?

a. Ich arbeite als Taxifahrer.
b. Ich arbeite am Nachmittag
   und am Abend.
c. Rund um die Uhr.

3. Und was sind Sie?

a. Ich arbeite zurzeit nicht.
b. Ich arbeite am Morgen
   oder am Abend.
c. Ich bin Arzt.

4 Wie geht es Ihnen? / Wie geht es dir?

→ KB 3, 4

_9 **a |** Sortieren Sie. Schreiben Sie die Dialoge. Hören Sie die Dialoge.

Wie geht's dir?

Gut, Frau Busch. Danke. Und Ihnen?

Morgen, Timo.

Guten Tag, Frau Leiner. Wie geht es Ihnen?

Gut. Und dir?

Mir geht's nicht so gut …

Super!

Hallo, Florian!

Oh …

1.
- Hallo, Florian!

2.

Hi! Wie geht's?

b | Ergänzen Sie.

Prima! Und _____ ?

c | Sammeln Sie.

du (Sg.): Wie geht es dir? Wie geht's dir?

ihr (Pl.): _____ ?

Sie (Sg.): Wie _____ ?

Sie (Pl.): _____ ?

→ KB 5

5 Orientierung in der Stadt

a | Welche Schilder verstehen Sie? Markieren Sie.

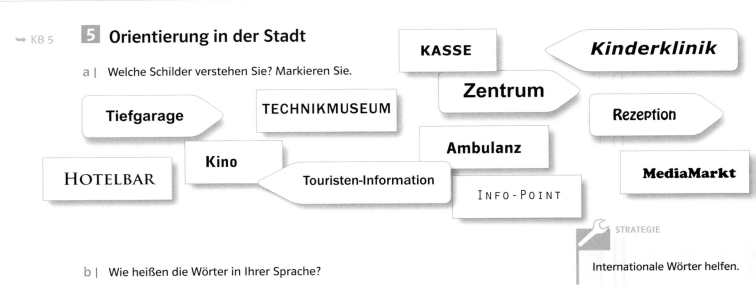

b | Wie heißen die Wörter in Ihrer Sprache?

STRATEGIE

Internationale Wörter helfen.

→ KB 6

6 In unserem Haus wohnen ein ... / eine ...

Sortieren Sie bitte.

> die Kinderärztin | die Krankenschwester | der Psychologe | die Polizistin | der Koch
> der Krankenpfleger | die Sekretärin | der Orthopäde | der Kellner | die Taxifahrerin

In unserem Haus wohnen ...

ein	eine
ein Psychologe	eine

7 Wo ist der Wortakzent?

_10   a | Hören Sie und markieren Sie die betonte Silbe.

die Kö chin | die Ärz tin | der Pfle ger | der Stu dent | die Leh re rin | die Nach ba rin |
die Sek re tä rin | der Ta xi fah rer | die Kran ken schwes ter | die Psy cho lo gin

b | Lesen Sie vor.

11 c | Ist der Akzent gleich (=) oder nicht gleich (≠)? Hören Sie und notieren Sie.

die Köchin – der Pfleger	
die Ärztin – der Student	
die Lehrerin – die Nachbarin	
die Nachbarin – die Polizistin	
die Musikerin – die Psychologin	
der Stationsarzt – die Krankenschwester	

→ KB 7

8 Unbestimmt – bestimmt

a | Sie sehen: Das ist ein Arzt. Wie heißt der Arzt?

FOKUS SPRACHE

Das ist **eine** Ärztin. (= eine von vielen)
Die Ärztin heißt Ulla Reichert. (= eine bestimmte Ärztin)
Sie arbeitet in der Radiologie. (Personalpronomen)

1.

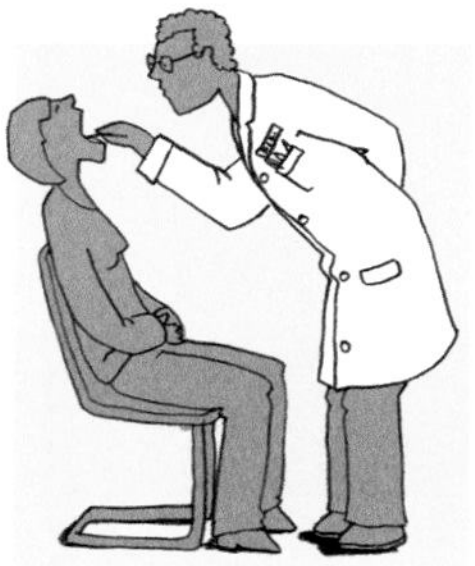

Das ist ein Arzt.

2.

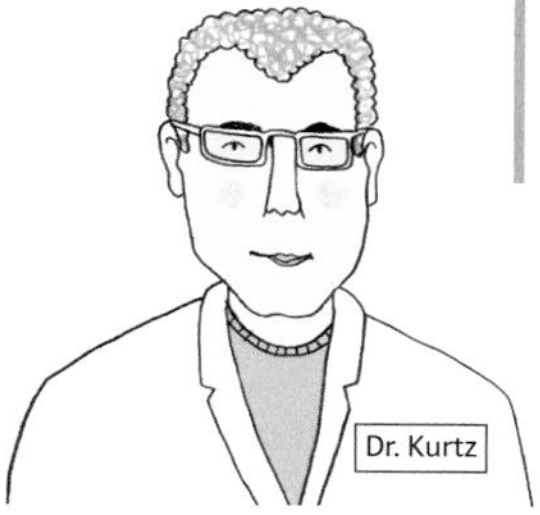

___ heißt ___

b | Ergänzen Sie bitte.

	maskulin	neutral	feminin
bestimmter Artikel	...... Arzt	...... Auto	**die** Ärztin
unbestimmter Artikel	...... Arzt	ein Auto	...... Ärztin

9 Informationsblatt: Das Krankenhausteam stellt sich vor.

Ergänzen Sie Artikel und Personalpronomen. Einmal steht kein Artikel.

Unser Krankenhausteam

Frank Stiller ist ___ Arzt. ___ arbeitet auf der Kinderstation. ___ ist ___ Stationsarzt. Bettina Becker ist ___ Stationsschwester, Zohra El Afia ist ___ Psychologin. Zum Team gehören auch ___ Sekretärin, ___ Krankenpfleger und ___ Krankenschwester: ___ Krankenschwester heißt Lisa Vogel. ___ ist neu im Team.

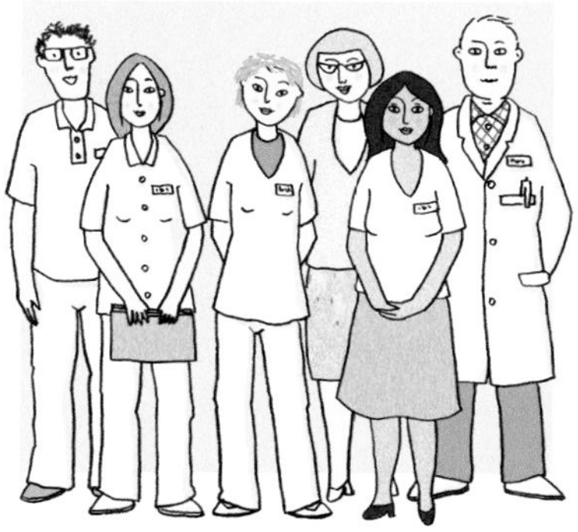

10　Was steht im Wörterbuch?

a |　Sammeln Sie Gegenstände im Kurs.

b |　Fragen und antworten Sie. Schlagen Sie im Wörterbuch nach.

Wie heißt das auf Deutsch?

Ich weiß nicht.

Und wie ist der Artikel?

Ich glaube, (das heißt) Lineal./ das ist ein Lineal.

Im Wörterbuch steht: **Lineal**, das. Also, das Lineal.

TIPP
Schlagen Sie den Artikel im Wörterbuch nach.

c |　Notieren Sie.

das / ein Lineal, die / eine …

→ KB 7, 8　11　Jemanden vorstellen: offiziell

Was sagen sie? Ergänzen Sie die Sprechblasen.

→ KB 9 **12** **Ihre Sprache / Andere Sprachen**

🔘_12 a | Sie hören Namen von Wochentagen. Welche sind deutsch? Kreuzen Sie an.

	1	2	3	4	5	6	7
deutsch							

b | Welche Wörter sind deutsch? Markieren Sie.

Montag | Monday | Mardi | Dienstag | Wednesday | Mercredi | Mittwoch |
Donnerstag | Sunday | Giovedi | Freitag | Saturday | Sabato | Samstag | Sonntag

c | Heißen die Wochentage in Ihrer Sprache ähnlich / ganz anders?

→ KB 10, 11 **13** *sein* und *haben*

Ergänzen Sie die passende Verbform.

1. ▪ Was ⌐____⌐ du von Beruf? □ Ich ⌐_____⌐, aber zurzeit ⌐____⌐ ich
   (Beruf)

   keine Arbeit. Zurzeit ⌐____⌐ ich zu Hause.

2. ▪ Und dein Mann? □ Mein Mann ⌐_____⌐. Er ⌐____⌐ viel Stress.
   (Beruf)

3. ▪ ⌐____⌐ ihr schon lange hier? □ Nicht so lange, drei Jahre.

4. ▪ ⌐____⌐ ihr Kinder? □ Wir ⌐____⌐ zwei Kinder, aber sie ⌐____⌐ nicht hier,

   sie ⌐____⌐ in Griechenland. – Und du? ⌐____⌐ du

   Kinder? ...

14 **Zeit und Ort**

FOKUS LANDESKUNDE

Seien Sie vorsichtig bei persönlichen
Fragen. Bestimmte Fragen sind zu direkt
(z.B. Wie alt sind Sie? Sind Sie verheiratet?
Wie viel verdienen Sie?).

Was passt zusammen? Verbinden Sie bitte.

○ Hause.

○ Nacht.

Wo arbeiten Sie? ○————○ Im ○ ○ Supermarkt.

Wann arbeiten Sie? ○ ○ Am ○ ○ Hotel Central.

○ In der ○ ○ VW.

○ Zu ○ ○ Büro.

○ Bei ○ ○ Wochenende.

15 Sätze

a | Markieren Sie die Verben in den Sätzen.

1. Ich bin Lisa Vogel.
2. Wo arbeiten Sie?
3. Ist die Arbeit stressig?
4. Arbeiten Sie am Sonntag?
5. Wann haben Sie Nachtdienst?
6. Sind die Kollegen freundlich?

b | Schreiben Sie die Sätze in die Tabellen.

	Position 2 Verb	
_____	_____	Lisa Vogel.
Wo	_____	_____ ?
_____	_____	Sie Nachtdienst?

Position 1 Verb		
Ist	_____	_____ ?
	_____	_____ ?
	_____	_____ ?

c | Sortieren Sie die Sätze.

	1	2	3	4	5	6
W-Frage (?)						
Ja- / Nein-Frage (?)						
Aussagesatz (.)	✕					

FOKUS SPRACHE

Aussagesatz und W-Frage: Das Verb steht auf Position ⌐____⌐ .
Ja- / Nein-Frage: Das Verb steht auf ⌐_____⌐ .

16 Ein Interview

a | Finden Sie die Fragen zu den Antworten.

- Frau Caselli, _____
□ Gut, danke.

- _____
□ Ja, aus Italien.

- _____
□ Nein, ich wohne in Wien.

- _____
□ Ich bin Lehrerin.

- _____
□ Ja, ja, sehr interessant.

- _____
□ Am Montag, am Mittwoch und am Donnerstag.

- _____
□ Nein, am Wochenende habe ich frei.

- Vielen Dank für das Interview.
□ Bitte, nichts zu danken.

_13   b | Hören Sie das Interview und korrigieren Sie eventuell.

c | Machen Sie ein Interview mit Ihrer Lernpartnerin / Ihrem Lernpartner.

STRATEGIE

Suchen Sie Schlüsselwörter zu der Frage.

→ KB 12   ## 17 Schlüsselwörter suchen

a | Was ist Anton Kress von Beruf? Markieren Sie Schlüsselwörter.

„Ich arbeite gern nachts. Mein Biorhythmus ist so. Ich mache Musik in Clubs und Diskotheken, eine tolle Mischung aus Jazz, Techno und Soul. Nachts bin ich immer besonders kreativ. Das Problem ist: Meine Freundin macht viel Sport – Volleyball, Tennis, Skaten, und ich bin oft müde."

b | Warum arbeitet er gern nachts? Markieren Sie Schlüsselwörter.

„Ich arbeite gern nachts. Mein Biorhythmus ist so. Ich mache Musik in Clubs und Diskotheken, eine tolle Mischung aus Jazz, Techno und Soul. Nachts bin ich immer besonders kreativ. Das Problem ist: Meine Freundin macht viel Sport – Volleyball, Tennis, Skaten, und ich bin oft müde."

c | Was ist das Problem von Anton Kress? Markieren Sie Schlüsselwörter.

„Ich arbeite gern nachts. Mein Biorhythmus ist so. Ich mache Musik in Clubs und Diskotheken, eine tolle Mischung aus Jazz, Techno und Soul. Nachts bin ich immer besonders kreativ. Das Problem ist: Meine Freundin macht viel Sport – Volleyball, Tennis, Skaten, und ich bin oft müde."

↪ KB 13   **18   Was macht Lisa Vogel?**

a | Markieren Sie bitte die Verben.

1. frühstücken: Sie frühstückt am Morgen.
    fernsehen: Beim Frühstück sieht sie fern.
2. schlafen: Am Vormittag schläft sie.
    machen: Nachmittags macht sie Yoga.
3. einkaufen gehen: Sie geht am Nachmittag einkaufen.
4. arbeiten: Nachts arbeitet sie als Krankenschwester.

b | Was fällt Ihnen auf? Vergleichen Sie die Verben.

c | Ergänzen Sie die Verbformen.

	arbeiten	schlafen	fern|sehen	einkaufen gehen
ich				
du	arbeitest		siehst fern	
er/sie				geht einkaufen

19   Sätze

Ergänzen Sie die Sätze.

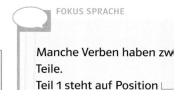

FOKUS SPRACHE

Manche Verben haben zw[...]
Teile.
Teil 1 steht auf Position ⌐_⌐
Teil ⌐_⌐ steht am Satzend[...]

	Position 1 Verb Teil 1		Satzende Verb Teil 2
Sie	frühstückt	....	
Beim Frühstück	....	....	fern.
Sie	....	....	einkaufen.

20   Die Lernpartnerin / Den Lernpartner kennen lernen

a | Was macht Ihre Lernpartnerin / Ihr Lernpartner nachts?
       Macht sie / er das immer / oft / manchmal / nie?
       Fragen Sie, antworten Sie.

   ▪ Siehst du / Sehen Sie nachts manchmal fern?
   ▫ Nein, nie! / Ja, oft!

   lernen | kochen | schlafen | fernsehen |
   einkaufen gehen | putzen

b | Beschreiben Sie Ihre Lernpartnerin / Ihren Lernpartner. Stellen Sie die Texte aus.
       Die anderen raten: Wer ist das?

   ... sieht nachts oft fern. Er / Sie ...

Projekt: Wochentag-Collage

Wählen Sie einen Wochentag. Sammeln Sie Materialien (Werbung, Kurztexte, Schlagzeilen, Fotos etc.).
Machen Sie ein Poster.

Montag ↑

Wochenende

CINECITY

Montag ist Kinotag!
Eintrittspreis für alle Filme:
5,- Euro
Der Preis gilt für Groß und Klein.

A-Z Markt
ab 4. April längere
Öffnungszeiten

**Montag bis Samstag
8-20 Uhr**

Montag 11. April
große Sparaktion
10% auf Ihren Einkauf

Lindenhof
Restaurant - Café - Bar

Öffnungszeiten:
Montag Ruhetag
Dienstag bis Freitag 11-24 Uhr
Samstag und Sonntag 10-1 Uhr

Berufe in Poesie

_14 a | Hören Sie und lesen Sie mit.

reden und hören
reden und hören
hören und reden
hören und reden

Hans Manz

b | Welcher Beruf ist das? Raten Sie.

Das ist ein
Lehrer.

Oder ein Psychologe?

c | Gestalten Sie andere „Berufe in Poesie". Lesen Sie vor.

Berufe

Notieren Sie Berufe (maskulin / feminin).

Im Kurs: _____

In der Familie: _____

> der Ingenieur, die Ingenieurin
> der Arzt, die Ärztin
> die Hausfrau
> der Krankenpfleger
> …

Aktivitäten

Was machen Sie wie oft? Notieren Sie.

oft	nicht so oft	manchmal	nie
_____	_____	_____	_____
_____	_____	_____	_____
_____	_____	_____	_____

> putzen
> kochen
> fernsehen
> lernen
> einkaufen gehen
> am Vormittag schlafen
> …

Tageszeiten

Wann lernen Sie Deutsch? Notieren Sie.

am _____ _____

am _____ _____

> der Vormittag
> der Nachmittag
> …

Nomen

In meiner Tasche ist …
Schlagen Sie im Wörterbuch nach.
Markieren Sie die Wörter farbig:
m = **blau**, f = **rot**, n = **grün**.

ein _____

_____

_____

_____

So sage ich: fragen, wie es jemandem geht / auf die Frage antworten

Nachbar / Nachbarin: _____

Deutschlehrer / Deutschlehrerin: _____

Lernpartner / Lernpartnerin: _____

Mein Nachbar / Meine Nachbarin fragt. Ich antworte: _____ ☺ / ☺

Ein Freund / Eine Freundin fragt. Ich antworte: _____ ☺ / ☺ / ☹

Nomen: bestimmter und unbestimmter Artikel

Artikel	maskulin	neutral	feminin
bestimmt	der Deutschkurs	das Café	die Schule
unbestimmt	ein Deutschkurs	ein Café	eine Schule

Ist hier ein Café?

Ja, das Café Aida.

Verben: Konjugation Präsens

	arbeiten	telefonieren	schlafen	fern | sehen	haben
ich	arbeite	telefoniere	schlafe	sehe fern	habe
du	arbeitest	telefonierst	schläfst	siehst fern	hast
er / sie	arbeitet	telefoniert	schläft	sieht fern	hat
wir	arbeiten	telefonieren	schlafen	sehen fern	haben
ihr	arbeitet	telefoniert	schlaft	seht fern	habt
sie	arbeiten	telefonieren	schlafen	sehen fern	haben
Sie	arbeiten	telefonieren	schlafen	sehen fern	haben

- Markieren Sie Verbformen mit der Personen-Endung -t.
- Notieren Sie Verbformen. mit Vokalwechsel (a→ä, e→ i / ie):

  _____

  _____

  mit -est, -et:

  _____

- Markieren Sie besondere Formen von haben.

W-Frage, Aussagesatz, Ja- / Nein-Frage

		Position 2 Verb Teil 1		Satzende Verb Teil 2
W-Frage	Wann	arbeitest	du?	
	Wann	siehst	du	fern?
Aussagesatz	Er	arbeitet	rund um die Uhr.	
	Am Nachmittag	gehen	wir	einkaufen.

	Position 1 Verb Teil 1			Satzende Verb Teil 2
Ja- / Nein-Frage	Arbeitet	sie	als Raumpflegerin?	
	Siehst	du	oft	fern?

Aussagesatz: Auf Position 1 steht ⌞_____⌟ Wort oder ⌞_____⌟ Wortgruppe.

Temporalangaben: Wann?

Tageszeiten:	am Morgen, am Nachmittag, am Abend, in der Nacht morgens, mittags, nachmittags, abends, nachts
Wochentage:	am Montag, am Dienstag, am Mittwoch, … montags, dienstags, mittwochs, …
Tag und Tageszeit:	am Montagvormittag, am Montagnachmittag, …

Wann habt ihr Dienst?

Am Wochenende.

1　Musik bitte

 _2/1　a |　Sehen Sie Film 2, Teil 1 und hören Sie die Musik. Welche Instrumente hören Sie?

Saxofon　　　　Trompete　　　　Akkordeon　　　　Geige　　　　Schlagzeug

 _2　　b |　Was glauben Sie: Spielt Franz ein Instrument? Welches? Sehen Sie jetzt den ganzen Film.

2　Steckbrief

Sehen Sie den Film noch einmal. Ergänzen Sie den Steckbrief.

Vorname: Franz
Familienname:
Alter:
Wohnort:
Beruf:
Arbeitsort:
Hobbys:
Auto:
Lieblingsplatz:

Tübingen | 50 | Kiebingen | Sofa |
rot ● | Lanz | ~~Franz~~ | Busfahrer |
Schlagzeug spielen

3　Begrüßungen

Sehen Sie die Fotos an. Was sagt Franz in den Situationen?
Sehen Sie den Film noch einmal und ergänzen Sie die Begrüßungen.

 ❶

 ❷

 ❸

4 Franz-Lanz-Bingo

a | Welche Gegenstände sehen Sie im Film? Sammeln Sie Nomen.

das Reh, die Hausnummer, |_____|, |_____|, |_____|, |_____|,

|_____|, |_____|, |_____|, |_____|, der Dienstplan

b | Schreiben Sie neun Nomen in die Tabelle und spielen Sie Bingo! Wer hat zuerst drei Wörter in einer Reihe?

5 Gedanken

Was denkt Franz?
Schreiben und vergleichen Sie in der Gruppe.

6 Quizfrage

Wo sind im Film Wochentage? Suchen Sie.

|_____|

Bearbeiten Sie die Aufgaben. Vergleichen Sie mit den Lösungen auf S. 200. Notieren Sie Ihre Punktzahl.
Markieren Sie in der Rubrik **Ich kann**: 4–6 Punkte = gut, 0–3 Punkte = nicht so gut.

_15   **1   Fragen zur Person verstehen**   ___/6 P

Sie möchten sich zu einem Kurs „Deutsch im Beruf" anmelden. Hören Sie die Fragen der Sekretärin.
Ordnen Sie die Antworten zu.

Frage	1	2	3	4	5	6
Antwort						

a. 03841 / 8573 und mobil 0162 / 098641.
b. Aus Rumänien.
c. T-o-m-o-s.
d. Ich bin Lehrerin, aber jetzt arbeite ich als Kellnerin.
e. Alina Tomos.
f. In der Gartenstraße 34.

	gut ☺	nicht so gut ☹
Ich kann Fragen zur Person verstehen.		

2   Jemanden begrüßen / verabschieden   ___/6 P

Ordnen Sie bitte zu.

2. Hallo!

1. Auf Wiedersehen!

3. Tschüss!

6. Wie geht es Ihnen?

4. Wie geht's?

5. Guten Tag!

du			
Sie			

	gut ☺	nicht so gut ☹
Ich kann Personen begrüßen / verabschieden (du / Sie).		

3 Einfache Zeitangaben verstehen ___/6 P

Wann arbeitet Herr Wörner? Bitte kreuzen Sie an.

> Hallo Nachbarn,
> Brauchen Sie ein Taxi? Klingeln Sie oder rufen Sie
> mich an: 0177/11223344.
> Am Montag und Mittwoch arbeite ich vormittags,
> am Dienstag und Donnerstag nachmittags,
> am Freitag und Samstag arbeite ich nachts.
> Am Sonntag schlafe ich rund um die Uhr,
> bitte denken Sie an die Ruhezeiten! Danke!
> Martin Wörner

	Mo	Di	Mi	Do	Fr	Sa	So
6–12							
12–18							
20–6							

	gut ☺	nicht so gut ☹
Ich kann einfache Zeitangaben verstehen (Tageszeiten / Wochentage).		

4 Eine Person beschreiben ___/6 P

Schreiben Sie 6 kurze Sätze über Lisa Vogel. Vergleichen Sie dann mit Ihrer Lernpartnerin / Ihrem Lernpartner: Für jeden gut verständlichen Satz gibt es einen Punkt.

	gut ☺	nicht so gut ☹
Ich kann eine Person in einfachen Worten beschreiben.		

5 Akzente in Wörtern und Wendungen ___/6

Markieren Sie den Akzent.

Köchin | Lehrerin | Ärztin | Student | Polizist | Guten Tag! | Auf Wiedersehen!

	gut ☺	nicht so gut ☹
Ich kenne Akzente in Wörtern und Wendungen.		

MEIN ERGEBNIS

Übung	Punkte
1	
2	
3	
4	
5	
Summe	

0-14 Punkte: Aller Anfang ist schwer!
 Wiederholen Sie noch einmal.
15-20 Punkte: Gutes Ergebnis! Lassen Sie nicht nach.
21-30 Punkte: Herzlichen Glückwunsch! Weiter so!

3 Immer was los!

die Familie, -n	
der Mann, ̈er	Lukas ist Lisas Mann.
die Frau, -en	
die Eltern (nur Pl.)	
der Vater, ̈	
die Mutter, ̈	
der Sohn, ̈e	
die Tochter, ̈	
die Großeltern (nur Pl.)	
der Großvater, ̈	
die Großmutter, ̈	
die Schwiegereltern (nur Pl.)	
der Schwiegervater, ̈	
die Schwiegermutter, ̈	
der Schwiegersohn, ̈e	
die Schwiegertochter, ̈	
die Geschwister (nur Pl.)	
der Bruder, ̈	
die Schwester, -n	
der Enkel, -	
die Enkelin, -nen	
der Schwager, -	
die Schwägerin, -nen	
der Neffe, -n	
die Nichte, -n	
der Onkel, -	
die Tante, -n	
der Cousin, -s [ku'zɛ̃:]	
die Cousine, -n [kusi:ne]	
das Baby, -s ['be:bi:]	
der Freund, -e	
die Freundin, -nen	
der Chef, -s	
die Leute (nur Pl.)	
die Sprache, -n	
die Freizeit (nur Sg.)	
das Leben (nur Sg.)	Das ist mein Leben!
die Pause, -n	
die Mittagspause, -n	
das Essen, -	
das Mittagessen, -	
das Abendessen, -	
das Frühstück, -e	

die Kantine, -n	
der Hunger (nur Sg.)	Haben Sie Hunger?
die Schokolade (nur Sg.)	
die Stunde, -n	
die Minute, -n	
die Uhr, -en	
der Kuss, ̈e	
die Musik (nur Sg.)	
der Tanz (hier nur Sg.)	
der Film, -e	
das Theater, -	
das Theaterstück, -e	
das Fest, -e	
die Party, -s	
der Sport (nur Sg.)	
das Konzert, -e	

Sg. = Singular; Pl. = Plural

▪ Schreiben Sie Verbformen.

Ich spreche Deutsch und Englisch.
Welche Sprachen _____ du?

Ich treffe Freunde.
Du _____ Kollegen.
Er _____ Leute.

Ich esse nicht.
Du _____ in der Kantine.
Sie _____ im Restaurant.

Verben

Verben	
leben	
sprechen, spricht	Sprechen Sie Deutsch?
essen, isst zu Mittag essen	
mitkommen, kommt mit	Kommst du mit in die Kantine?
treffen, trifft Freunde treffen	
bleiben zu Hause bleiben	
grillen	
besuchen Freunde besuchen	
gehen ins Kino gehen tanzen gehen spazieren gehen	
ansehen, sieht an DVDs ansehen	
beginnen	Wann beginnt das Konzert?
machen Sport machen Mittagspause machen Schluss machen Feierabend machen	
spielen Fußball spielen Schach spielen	
fahren, fährt Rad fahren	
möchte	Ich möchte spazieren gehen.

Adjektive

Adjektive	
genervt	
enttäuscht	
begeistert	
wütend	
süß	
klein	
hübsch	
spannend	
warm	Ich esse abends warm.
pünktlich	
verheiratet	

Fragewörter

Fragewörter	
Wie viel?	Wie viel Uhr ist es?

Wendungen

Wendungen	
Entschuldigung!	
Wie viel Uhr ist es? Um wie viel Uhr …?	
Tut mir leid!	
Bis bald!	
Bis dann!	

Kleine Wörter

Kleine Wörter	
erst	
schon	
heute	
morgen	
endlich	

Präpositionen

Präpositionen	
um (Zeit)	Um ein Uhr.
gegen (Zeit)	Gegen vier (Uhr).
von	Max ist der Sohn von Lisa.

- Welche Nomen für Personen kennen Sie schon? Markieren Sie.
- Markieren Sie Verb-Verbindungen.

Meine Lieblingswörter

Schwierige Wörter

Mein Lieblingssatz

→ KB 2   **1** **Telefon emotional**

a | Lesen Sie bitte das Telefongespräch mit Emotion.

Lisa Vogel:	Lisa Vogel.
Lisas Mutter:	Hallo Lisa. Ich bin's, Mama.
Lisa Vogel:	Hallo Mama.
Lisas Mutter:	Lukas ist in Spanien?
	Du machst alles alleine?
Lisa Vogel:	Mama, es geht prima.
Lisas Mutter:	Bist du sicher?
Lisa Vogel:	Ja, Mama, es ist alles in Ordnung!

_16   b | Sie hören das Telefongespräch dreimal. Wie klingt Lisa? Kreuzen Sie an.

	fröhlich	aggressiv	ruhig	genervt	müde
1					
2					
3					

c | Lesen Sie das Telefongespräch in a mit verschiedenen Emotionen.

2 **Das Telefon klingelt.**

_17   a | Was sagen die Personen? Hören und verbinden Sie bitte.

Die Personen sagen   **Land**

1. ○   ○   Pronto!   ○   ○   In Spanien.

2. ○   ○   ¡Dígame!   ○   ○   In Deutschland.

3. ○   ○   Müller.   ○   ○   In Frankreich.

4. ○   ○   Allô?   ○   ○   In Großbritannien.

5. ○   ○   Hello?   ○   ○   In Italien.

> FOKUS LANDESKUNDE
>
> Am Telefon meldet man sich
> ☐ mit dem Namen.   ☐ mit Begrüßung.
> Einige Leute melden sich mit „Hallo". Manche
> Leute finden das unhöflich.

_18   b | Hören Sie noch einmal. In welchem Land sind die Personen? Verbinden und vergleichen Sie.

▪ ‚Pronto' sagen sie in Spanien.   ▫ Nein, ich glaube, in Italien.   ▪ Ja, das stimmt. / Ah ja?

c | Wie meldet man sich in anderen Ländern? Vergleichen Sie.

→ KB 3, 5 3 Die liebe Familie

Sortieren Sie bitte.

~~Bruder~~ | Cousin | Großmutter | Enkel | Cousine | Großvater | Mutter | Neffe | Nichte | Onkel | Schwägerin | Sohn | Schwager | Enkelin | Schwester | Schwiegermutter | Schwiegersohn | Schwiegervater | Tante | Tochter | Vater | Schwiegertochter

maskulin	feminin
der Bruder, ______	______
______	______
______	______
______	______

→ KB 4, 5 4 Meine Schwester, deine Schwester, unsere Tochter

a | Ergänzen Sie: *mein, meine, dein, deine.*

Carmen sagt:

Unsere Familie ist wirklich sehr nett:
Mein Schwager Thomas und ______ Bruder Mohamed.
______ Mutter Teresa und ______ Mutter Sofia.
______ Schwestern und ______ Schwestern – so nett!
Und natürlich auch meine Tochter Leila und …

Driss sagt:

______ Tochter?
Leila ist ______
und ______ Kind!
Sie ist **unsere** Tochter!

b | Ergänzen Sie bitte die Tabelle.

	maskulin	neutral	feminin	Plural
bestimmter Artikel	der Bruder	das Kind	die Tochter	die Schwestern
Possessivartikel	mein Bruder			
	dein Bruder			

→ KB 5   **5** **Brüder und Schwestern**

a | Wie viele Familienwörter (Plural) finden Sie? Markieren Sie.

T	A	U	K	I	F	V	R	O	P	S	P
A	Q	Z	I	T	W	E	E	X	Q	Ö	L
N	E	F	F	E	N	O	Y	N	Y	H	K
T	S	C	H	W	E	S	T	E	R	N	J
E	L	O	L	W	E	W	Ö	D	A	E	K
N	J	U	B	R	M	N	C	C	S	H	I
B	U	S	H	N	I	C	H	T	E	N	N
I	T	I	G	S	Q	C	T	V	D	G	D
Z	O	N	K	E	L	B	E	H	R	F	E
E	Z	S	T	M	X	B	R	Ü	D	E	R

b | Schreiben Sie die Nomen aus a in die Tabelle.

Pluralformen

-n / -en	-e / ̈e	-er / ̈er	-/ ̈	-s	-nen
		Brüder			Enkelinnen

FOKUS SPRACHE

Im Deutschen gibt es ⌐____⌐ Pluralformen.
Drei Pluralformen haben manchmal Umlaut:
a→ä, o→ö, u→ü.

6 **Was steht im Wörterbuch?**

a | Wie heißen die Gegenstände im Klassenzimmer?
Suchen Sie im Wörterbuch. Notieren Sie Artikel und Plural in Kurzformen.

r Tisch, -e; e Landkarte, -n

(r = der, s = das, e = die)

TIPP

Lernen Sie Nomen immer
mit Artikel und Plural.

b | Zeichnen Sie fünf Gegenstände. Ihre Lernpartnerin / Ihr Lernpartner nennt das Wort mit Artikel und Plural.
Alles ist richtig = 1 Punkt. Wer hat die meisten Punkte?

7 Familienbeziehungen

Ergänzen Sie bitte.

Das ist Teresa. Sie ist ⌐Carmens⌐ und ⌐_____⌐ Mutter, ⌐_____⌐ Schwieger-

mutter und ⌐_____⌐ Großmutter. Carmen und Driss sind ⌐_____⌐ Eltern.

⌐_____⌐ Mutter und Schwestern leben in Marokko, ⌐_____⌐ Cousine Lamia

auch. In ⌐_____⌐ Fotoalbum sind viele Familienfotos.

FOKUS SPRACHE

Beziehungen und Besitz ausdrücken:
Name + -s: Carmens Mutter, Carmens Fotoalbum;
das Fotoalbum von Carmen
Name auf -s / -x: Driss' Mutter, Max' Handy;
das Handy von Max

→ KB 6

8 Driss' Familie, Carmens Familie

a | Verbinden Sie bitte.

○ Seine Familie lebt in Marokko. ○

○ Ihre Mutter kommt aus Spanien. ○

○ Ihre Schwester wohnt in Stuttgart. ○

Carmen ○   ○ Seine Schwester Latifa lebt in Italien. ○   ○ Driss

○ Ihr Mann ist Marokkaner. ○

○ Sein Bruder Abdelkarim lebt in Kuwait. ○

FOKUS SPRACHE

Der Possessivartikel zeigt nach links
und nach rechts.

Das ist ihre Schwester,

das ist sein Bruder.

b | Markieren Sie sein / seine, ihr / ihre. Welche Regel erkennen Sie?

9   **Seine Brille, ihre Brille?**

der Hut

a | Was passt zu wem? Verbinden Sie bitte.

die Sonnenbrille

b | Ergänzen Sie die Possessivartikel.

1. Das ist _sein_ Hut.

2. Das ist └──────┘ Hut.

3. Das ist └──────┘ Auto.

4. Das ist └──────┘ Auto.

5. Das ist └──────┘ Sonnenbrille.

6. Das ist └──────┘ Sonnenbrille.

7. Das sind └──────┘ Hunde.

8. Das sind └──────┘ Hunde.

Zehn Jahre später:

Und das sind └──────┘ Kinder und └──────┘ Hunde.

Ich und –
meine Familie!

→ KB 6, 8 **10** ## Der Possessivartikel

a | Ergänzen Sie bitte Possessivartikel und passende Nomen.

Possessivartikel			
	maskulin	**neutral**	**feminin**	**Plural**
Ich und			_Familie_	!
Du und	dein		deine	!
Jan und		sein		!
Ina und	ihr			ihre !
Wir und		unser		!
Ihr und	euer		eure	!
Die Kinder und		ihr		ihre !
Sie und	Ihr		Ihre	!

b | Vergleichen Sie. Korrigieren Sie eventuell Ihre Tabelle. Sehen Sie auf Seite 147 nach.

→ KB 6 **11** ## Nationalitäten und Sprachen im Kurs

a | Machen Sie eine Kursliste: Personennamen, Ländernamen, Nationalitäten, Sprachen.
Schlagen Sie eventuell im Wörterbuch nach.

Name	Land	Nationalität	Sprache

b | Markieren Sie Regelmäßigkeiten in der Wortbildung.

→ KB 9 **12** ## Ein Kreuzworträtsel mit Lukas Vogel

Ergänzen Sie bitte. Wie heißt das Lösungswort?

1. Lukas Vogel ist in

2. Dort gibt es erst gegen zwei Uhr

3. Lukas Vogel hat

4. Aber er hat

5. Das Leben im Ausland ist

Lösungswort: Endlich hat Lukas Vogel

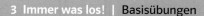

→ KB 10   **13 Uhrzeit: offiziell / inoffiziell**

_18   a | Hören Sie: offiziell oder inoffiziell? Kreuzen Sie bitte an.

FOKUS SPRACHE

	1	2	3	4
offiziell				
inoffiziell				

Privat:
Sie sagen |_____| (20:30)

Offiziell (Radio, TV, Kino, …):

Sie hören |_____| (20:30)

b | Hören Sie noch einmal (oder mehrmals). Zeichnen Sie die Uhrzeiten in die Uhren.

1.   2.   3.   4.

14 eine Uhr / ein Uhr / eins

Was passt? Kreuzen Sie bitte an.

	eins	ein	eine	
1. Ich gehe um halb				in die Kantine.
2. Um Viertel nach				bin ich wieder im Büro.
3. Jenny geht Viertel vor				in die Stadt.
4. Sie kauft				Swatch-Uhr.
5. Um				Uhr ist sie wieder zu Hause.

die Uhr

→ KB 10, 11   **15 Herr Müller macht Pause.**

_19   a | Wann macht Herr Müller Pause? Hören Sie und verbinden Sie bitte.

Frühstückspause   Mittagspause   Kaffeepausen
        ○   ○   ○

   ○   ○   ○   ○   ○   ○   ○
  8:30   9:00   10:30   11:30   13:15   14:45   15:30

    b | Wann machen Sie Pause?

→ KB 12, 13 **16** *nicht* oder *kein / keine*

Was ist richtig? Kreuzen Sie bitte an.

Vanessa ist ☐ nicht ☐ keine verheiratet.

Sie spricht ☐ nicht ☐ kein viel.

Sie hat ☐ nicht ☐ kein Auto.

Sie hat Eltern, Geschwister, Neffen und Nichten, aber ☐ nicht ☐ keine Kinder.

Heute macht sie ☐ nicht ☐ keine Mittagspause. Sie geht ☐ nicht ☐ kein essen.

Sie hat viel Arbeit und ☐ nicht ☐ keine Zeit. Aber sie ist ☐ nicht ☐ kein müde.

FOKUS SPRACHE

Negation

Bei Nomen:
☐ nicht ☐ kein / keine
☐_____ steht:
☐ vor dem Nomen.
☐ nach dem Nomen.

Bei Verben / Adjektiven:
☐ nicht ☐ kein / keine
☐_____ steht:
☐ nach dem konjugierten Verb.
☐ vor dem Adjektiv.

17 **NEINsager!**

Antworten Sie negativ.

1. ▪ Ich bin fit. Du auch? ▫ Nein, |_____|
2. ▪ Ich habe Arbeit. Du auch? ▫ |_____|
3. ▪ Ich koche gern. Du auch? ▫ |_____|
4. ▪ Der Deutschkurs ist interessant! ▫ Nein, er |_____|
5. ▪ Heute Abend habe ich Zeit. Du auch? ▫ |_____|
6. ▪ Ich gehe spazieren. Du auch? ▫ |_____|

→ KB 15–17 **18** **Freizeit-Pantomime**

Schreiben Sie Zettel mit Aktivitäten. Ziehen Sie einen Zettel.
Stellen Sie Ihre Aktivität pantomimisch dar. Die anderen raten.

telefonieren | tanzen | Rad fahren | spazieren gehen | fernsehen |
lesen | schlafen | Schach spielen | Freunde treffen | Saxofon spielen |
kochen | Musik hören | ins Kino gehen | . . .

19 Umfrage im Kurs: Wochenendpläne

a | Fragen Sie im Kurs. Machen Sie eine Strichliste.

- ▪ Was möchtest du | möchten Sie | möchtet ihr am Wochenende machen?
- ▫ Ich möchte | Wir möchten ins Kino gehen.

b | Machen Sie ein Ranking von Freizeitaktivitäten im Kurs.

c | Ergänzen Sie bitte die Tabelle.

	Verb 1 (konjugiert)		**Verb 2**
Ich	möchte	am Samstag	
Was		du am Wochenende	?
	möchte		gehen.
Wir		am	
Was	möchtet	ihr	?
Und was		Sie	?

→ KB 17

20 Kinoprogramm im City-Cinema

_20   Sie hören die Programm-Ansage. Wann spielt der Film? Verbinden Sie bitte.

Madagaskar 2   Australia   Die Buddenbrooks   Mamma Mia!

○   ○   ○   ○

○   ○   ○   ○   ○   ○   ○   ○

14:30   15:10   17:50   18:15   20:00   20:20   21:45   22:25

21 Schön, süß, blöd!

_21   a | Hören Sie und sprechen Sie nach. Übertreiben Sie Ö und Ü. Zeigen Sie auch Emotionen.

Schön! ☺ | Na schön! ☺ | Schön, schön! ☺ | Blöd! ☹ | Ach, blöd! ☹ |

Süß! ☺ ☺ | Oh, süß! ☺ | Hübsch! ☺ | Ganz hübsch! ☺

b | Spielen Sie Echo mit den Aussprüchen in a. Einer spricht vor, die anderen sprechen im Chor nach.

_22   c | Wie finden Sie das? Hören Sie und reagieren Sie.

Schön!

Ach blöd!

Musik hören! | Ö und Ü üben! | Fünf Brötchen essen! | Süße Küsse! | Frühstück um zwölf! |

Wörter schreiben. | So müde! | Brüder und Schwestern. | Töchter und Söhne. | Sonntag im Büro!

Gruß aus Wien

Lesen Sie. Wo ist Goran? Wo ist Sladja?
Was möchte er? Was möchte sie?

Liebe Sladja,
ich bin in Wien und habe Arbeit. Ich komme bald
nach Hause und hole dich zu mir.
Viele Küsse, dein Goran

Wunderbar. Ich gehe und ich komme,
ich hole und du folgst mir.
So einfach ist das. Die Postkarte auf meinem Schoß
schaut mich an und ich schaue zurück. In ein Fenster,
das ich gar nicht zu öffnen im Sinn hatte.
Ein Fenster in eine andere Welt.

Aus: Sandra Gugic: Eine kurze Geschichte über eine lange Fahrt

Sprachquiz

a | Lösen Sie das Quiz. Wer hat die meisten richtigen Antworten?

1. Es gibt insgesamt ca.

a. ☐ 600
b. ☐ 6.000 Sprachen

**2. An 1. Stelle steht
(Die meisten Sprecher hat)**

a. ☐ Mandarin
b. ☐ Englisch

3. Deutsch steht an

a. ☐ 10. Stelle
b. ☐ 15. Stelle

**4. Deutsch als Muttersprache
sprechen**

a. ☐ ca. 50 Millionen
b. ☐ ca. 100 Millionen
     Menschen

5. In der Schweiz spricht man

a. ☐ Schweizerdeutsch
b. ☐ vier Sprachen

6. Bayerisch und Schwäbisch sind

a. ☐ deutsche Dialekte
b. ☐ Sprachen

b | Nennen Sie Sprachen und Dialekte in anderen Ländern.

Freizeitstadt Köln

Auf der Website www.koeln.de/koeln/freizeit finden Sie viele Freizeitangebote. Klicken Sie rein.
Lesen Sie die Überschriften und die Texte.

a | Was kann man hier machen?
Ordnen Sie zu.

Überschriften	Was kann man hier machen?
1. Freizeitsport ○	○ a. die Umgebung von Köln kennen lernen
2. Ausflüge ○	○ b. exotische Tiere sehen
3. Stadtführungen ○	○ c. Südsee-Atmosphäre erleben
4. Der Kölner Zoo ○	○ d. Köln kennen lernen
5. Beachclubs ○	○ e. Leute treffen
6. Köln für Krimifans ○	○ f. Sport machen
7. Freizeittreffs ○	○ g. Hobby-Detektiv spielen

b | Welches Angebot interessiert Sie? Warum? Diskutieren Sie.

Familie

Wer gehört zu Ihrer Familie?

e Tante, -n
r Onkel, -
r Cousin, -s
r Bruder, ¨
...

ich

Freizeitaktivitäten

- Notieren Sie Freizeitaktivitäten.
- Vergleichen und ergänzen Sie.

DVDs ansehen
ins Konzert gehen
grillen
Schach spielen
Fußball spielen
...

Sport	zu Hause bleiben und ...	Kultur	Leute treffen
Fußball spielen			

- Was möchten Sie am Wochenende machen? Schreiben Sie bitte.

Am Samstagmorgen möchte ich

Sprachen

Ergänzen Sie bitte.

Englisch
Russisch
Hindi
Urdu
...

In meiner Familie spricht man

Ich persönlich spreche

(gut – nicht so gut – perfekt)

Essenszeiten

um ... (Uhr)
gegen ... (Uhr)

Wann essen Sie normalerweise? Notieren Sie die Uhrzeiten.

Frühstück: _____ Mittagessen: _____

Abendessen: _____ : _____

Artikelwörter

> **Die** Mittagspause
> ist von zwölf bis eins.

> Machst du heute **eine**
> Mittagspause?

> Nein, keine Zeit! **Mein** Dienst
> geht bis 15 Uhr.

	maskulin	neutral	feminin	Plural
bestimmter Artikel	der	das	die	die
unbestimmter Artikel	ein	ein	eine	----
Negativartikel	kein	kein	keine	keine
Possessivartikel	mein, dein sein, ihr unser, euer ihr, Ihr	mein, dein sein, ihr unser, euer ihr, Ihr	meine, deine seine, ihre uns(e)re, eure ihre, Ihre	meine, deine seine, ihre uns(e)re, eure ihre, Ihre

- ▪ Markieren Sie gleiche Formen.
- ▪ Ergänzen Sie:

  Unbestimmter Artikel: kein ⌐_____⌐.

> ! **TIPP**
> Es gibt nur wenige Regeln
> für den Plural, z.B. feminine
> Nomen auf -in → -innen.

Plural

-n /-en	-e /⸚e	-er /⸚er	- /⸚	-s	-nen
e Familie, -n e Uhr, -en	s Fest, -e r Sohn, ⸚e	s Kind, -er r Mann, ⸚er	r Lehrer, - e Tochter, ⸚	e Party, -s	Lehrerin, -nen

- ▪ Notieren Sie weitere Wörter aus den Lektionen 1–3.

Temporalangaben: Uhrzeit

- ▪ Wie viel Uhr ist es?
- ▫ Es ist zehn nach fünf.
- ▪ Wann kommst du?
- ▫ Um / Gegen zwölf.

Satzklammer

	Verb 1 (konjugiert)		Verb 2
Thorsten	möchte	am Wochenende	tanzen (gehen).
Vera	geht	am Samstag immer	einkaufen.

- ▪ Schreiben Sie zwei weitere Sätze.

1 Schuhe

a | Sehen Sie die Schuhe von der Person aus dem Film. Spekulieren Sie:
Wer? Was? Wann? Wo?

 b | Sehen Sie jetzt den Film. Vergleichen Sie mit Ihren Vermutungen.

2 Steckbrief

 Sehen Sie den Film noch einmal. Was ist richtig? Kreuzen Sie an.

Vorname:	Janine ☐	Janice ☒	Jasmin ☐
Alter:	28 ☐	24 ☐	26 ☐
Wohnort:	Hannover ☐	Hamburg ☐	Bad Homburg ☐
Beruf:	Krankenschwester ☐	Ärztin ☐	Medizinstudentin ☐
Hobbys:	fernsehen ☐ Rad fahren ☐ tanzen ☐ lesen ☐		
	Trompete spielen ☐ kochen ☐ Yoga machen ☐		
Haustier:	Kater ☐	Katze ☐	

3 Arbeit

Janice erzählt von ihrer Arbeit. Wie klingt sie? Wählen Sie aus.

genervt | fröhlich | traurig | enttäuscht | wütend | müde | begeistert

Janice klingt

4 Frank

Wer ist Frank? Kreuzen Sie an.

ihr Bruder ☐   ihr Freund ☐   ein Freund ☐   ihr Mann ☐   ihr Chef ☐   ihr Kollege ☐

5 Freizeit

a | Was gehört zu Janice' Freizeit? Die Buchstaben der richtigen Symbole ergeben ein wichtiges Wort für Janice.

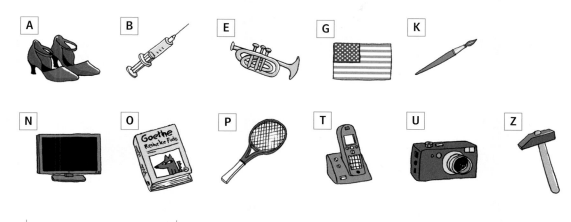

b | Janice geht aus. Was macht sie wann? Nummerieren Sie die Fotos in der richtigen Reihenfolge. Sehen Sie den Film, Teil 3 noch einmal und vergleichen Sie.

_3/3

c | Bringen Sie zur nächsten Stunde (Tanz-)Musik aus Ihrem Land mit. Wenn Sie möchten, zeigen sie den anderen ein paar Tanzschritte!

6 Quizfrage

Wer ist Chicho?

4 Sonst noch etwas?

TIPP

Markieren Sie die Artikel farbig.

Nomen

die Ware, -n	
das Lebensmittel, -	
der Apfel, ¨	
die Banane, -n	
die Zitrone, -n	
das Brot, -e	
die Butter, -	
das Ei, -er	
der Fisch, -e	
das Fleisch (nur Sg.)	
die Tomate, -n	
der Käse (nur Sg.)	
der Reis (nur Sg.)	
der Salat, -e	
der Schinken, -	
das Mehl (nur Sg.)	

der Tee (nur Sg.)	
der Kaffee (nur Sg.)	
die Milch (nur Sg.)	
das Wasser (nur Sg.) das Mineralwasser, -	
der Wein, -e	
das Bier, -e	
die Cola, -s	

der Kühlschrank, ¨e	Im Kühlschrank ist kein ...
das Toilettenpapier (nur Sg.)	
die Zeitung, -en	
die Zigarette, -n	
die Zahnpasta (nur Sg.)	

die Suppe, -n	
das Gericht, -e	
die Kartoffel, -n	

der Kuchen, -	einen Kuchen backen
das Omelett, -s	
die Pizza, / -en	

das Salz (nur Sg.)	
der Zucker (nur Sg.)	
der Pfeffer (nur Sg.)	
das Öl (nur Sg.)	
die Zwiebel, -n	
der Knoblauch (nur Sg.)	
der Einkaufszettel, -	

der Markt, ¨e	auf dem Markt
der Stand, ¨e	
das Obst (nur Sg.)	
das Gemüse (nur Sg.)	
der Verkäufer, - die Verkäuferin, -nen	
der Kunde, -n die Kundin, -nen	
die Woche, - n	
die Nachricht, -en	
der Termin, -e	

das Regal, -e	
die Theke, -n	
das Getränk, -e	
die Abteilung, -en	
die Kasse, -n	
die Tankstelle, -n	

die Dose, -n	eine Dose Fisch
die Flasche, -n	
die Packung, -en	
das Stück, -e	
die Tüte, -n	

das Kilo, -s	zwei Kilo Äpfel
das Gramm, (-e)	
der Liter, -	
der Preis, -e	
der Euro	fünf Euro
der Cent	
das Angebot, -e	

TIPP

Verbinden Sie beim Lernen Wörter mit Farben.
grün: der Apfel, der Salat, die Erbse, ...
rot: die Tomate, ...

- Welche Wörter kennen Sie schon? Markieren Sie.

- Markieren Sie trennbare Verben. Schreiben Sie Beispielsätze.

- Notieren Sie Wörter mit:

  ie: Bier

  ei:

  au/äu:

Verben

backen	
braten, brät	
brauchen	Wir brauchen noch Salz.
fragen	die Nachbarin fragen
mögen, mag	
trinken	
helfen, hilft	
suchen	
finden	Wo finde ich ...?
kaufen	
verkaufen	
kosten	Was kostet ...?
stimmen	Hier stimmt etwas nicht.
Recht haben	

aufstehen, steht auf	
losfahren, fährt los	
wegfahren, fährt weg	
abholen, holt ab	
zurückkommen, kommt zurück	
einkaufen, kauft ein	
einpacken, packt ein	
anfangen, fängt an	
aufpassen, passt auf	

es gibt	
auf haben ↔ zu haben	Die Tankstelle hat auf / zu.

Adjektive

zufrieden ↔ unzufrieden	
kaputt	
leer	
gesund ↔ ungesund	Milch ist gesund.
billig ↔ teuer	
günstig ↔ nicht günstig	
frisch	

Fragewörter

Wie oft?	
Wie lange?	Wie lange arbeiten Sie?

Kleine Wörter

aber	
gern	
jetzt	
nur	... kostet nur 50 Cent.
zweimal	
für	

Wendungen

So ein Mist!	
Entschuldigung, ich habe ein Problem!	
Warten Sie einen Moment!	
Was wünschen Sie?	
Vielen Dank!	
Ist alles in Ordnung?	
Danke, das war's.	
Ich bin kurz weg.	
Wie alt sind Sie?	

Adverbien

rechts ↔ links	
oben ↔ unten	
vorn ↔ hinten	

Meine Lieblingswörter   Schwierige Wörter

Mein Lieblingssatz

→ KB 1, 2 **1** **Vierzehn Lebensmittel und eine …**

a | Suchen Sie 15 Waren im Buchstabenquadrat.

A	B	I	E	R	Z	E	I	T	U	N	G
D	U	M	S	E	I	R	U	N	V	W	A
X	T	Q	A	L	T	O	M	A	T	E	P
T	T	W	L	K	R	E	I	S	E	I	F
O	E	P	A	J	O	K	L	W	E	N	E
B	R	O	T	Z	N	Ä	C	C	S	N	L
B	A	N	A	N	E	S	H	F	R	P	S
S	C	H	I	N	K	E	N	H	Y	G	O

b | Packen Sie je fünf Waren aus a in den passenden Einkaufskorb.

1 der

2 das

3 die

 c | Was ist in den Körben? Vergleichen Sie.

▪ Im Korb 1 sind Reis, … Im Korb 2 …

→ KB 2 **2** **Ratespiel**

▪ Was ist das?
▫ Vielleicht ein Apfel?
▪ Nein, (das ist) kein Apfel.
▫ Vielleicht eine Zitrone?
▪ Nein, keine Zitrone.
▫ Dann ist es …!
▪ Ja, …!

▪ Sind das …?

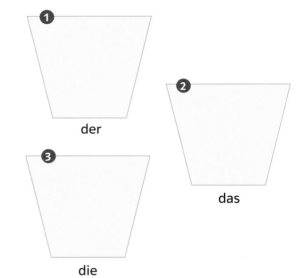

 a | Raten Sie, diskutieren Sie.

b | Skizzieren Sie Lebensmittel oder andere Gegenstände auf Kärtchen.

c | Zeigen Sie ein Kärtchen. Die anderen raten. Wer richtig rät, bekommt das Kärtchen.
Wer hat am Ende die meisten Kärtchen?

d | Ergänzen Sie bitte.

Negativartikel

	maskulin	neutral	feminin	Plural
Das ist / sind	k	k	k	k

→ KB 3 **3** **Tomatengerichte**

Veronika, 25 Jahre alt, ist ein richtiger Tomatenfan.
Sie mag Tomaten in allen Variationen und kocht gern
Tomatengerichte.

_23 a | Was isst Veronika heute? Hören Sie: Was hat sie? Was hat sie nicht? Streichen Sie durch, was sie nicht hat.

▪ Einen Tomatensalat? Sie hat [Tomaten] , [Tomate] ,

  aber sie hat [Zwiebel] und [Öl] .

▪ Ein Tomatenomelett? Sie hat [Tomaten] und [Eier] ,

  aber sie hat [Milch] und [Schinken] .

▪ Dann also eine Reis-Tomatensuppe? Sie hat [Tomaten] ,

  aber sie hat [Reis] , [Butter] , [Salz] , und [Pfeffer] .

Rechte Spalte (handschriftlich):

Tomaten , einen Apfel

keine ,

b | Ergänzen Sie die rechte Spalte. Vergleichen Sie.

c | Hören Sie noch einmal. Korrigieren Sie eventuell die rechte Spalte.

d | Was macht Veronika? Kreuzen Sie an.

☐ Sie isst nichts. ☐ Sie geht in eine Pizzeria. ☐ Sie isst die Tomaten und den Apfel.

e | Lesen Sie die Geschichte laut.

▪ Was isst Veronika heute?
□ Einen …

FOKUS SPRACHE

aber drückt einen Gegensatz (↔) aus.

Sie hat Tomaten, aber (sie hat) keine
Zwiebeln. Sie hat keinen Pfeffer, aber Salz.

4   Satzbausteine

a | Bilden Sie vier Sätze. Schreiben Sie die Sätze in die Tabelle.

Wer?		hat / macht		Was?
Anna Wir Die Studenten Du	←	haben essen schreiben lernen	→	einen Text keine Zeit Deutsch einen Apfel

	Subjekt – Nominativ	Verb	Ergänzung – Akkusativ
1.			
2.			
3.			
4.			
5.			
6.			

b | Schreiben Sie zwei weitere Sätze in die Tabelle oben.

c | Ergänzen Sie bitte.

FOKUS SPRACHE

Viele Verben haben ein Subjekt (Nominativ) und eine Ergänzung im ⌐_____⌐.
(S – V – E/A): haben, essen, schreiben, lernen, machen, kaufen, brauchen, sehen, …

Unbestimmter Artikel / Negativartikel

	maskulin	neutral	feminin	Plural
Nominativ Das ist / sind	*ein Kuchen* k	*ein* _____ k	_____ *Suppe* k	_____ k
Akkusativ Wir kaufen	*einen Kuchen* 			

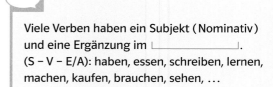

FOKUS SPRACHE

Nur maskulin *ein* und ⌐_____⌐ haben im Akkusativ die Endung ⌐____⌐.
Ich esse ein**en** Apfel. Wir haben kein**en** Kaffee.

5 Zusammengesetzte Wörter: Nomen + Nomen → ein Nomen

a | Wie heißen die Kartoffelgerichte? Ergänzen Sie bitte.

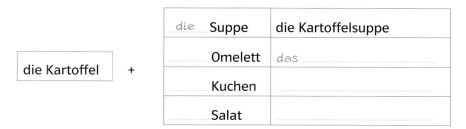

die Kartoffel +	*die* Suppe	die Kartoffelsuppe
	Omelett	*das*
	Kuchen	
	Salat	

b | Warum heißt es: die Kartoffelsuppe, das Kartoffelomelett?
Diskutieren Sie.

c | Wie sind die Wörter zusammengesetzt? Notieren Sie.
Wie ist der Artikel bei den zusammengesetzten Wörtern?

FOKUS SPRACHE

Zusammengesetzte Wörter:
☐ Das 1. Wort gibt den Artikel.
☐ Das letzte (hier 2.) Wort gibt den Artikel.

die Hausnummer	← *das Haus*	+ *die Nummer*
Filmprogramm	←	+
Kursbuch	←	+
Mittagspause	←	+	+
Familienfoto	←	+	+
Frühstücksbuffet	←	+	+

FOKUS SPRACHE

Manchmal verbindet -s oder -n die zusammengesetzten Wörter.

→ KB 6

6 Frau Schulze hat ein Problem.

 _24 a | Hören Sie das Gespräch. Was möchte Frau Schulze?

b | Schreiben Sie die Adjektive zur Stimmungskurve von Herrn Hilbert.

genervt | freundlich | noch ruhig | wütend

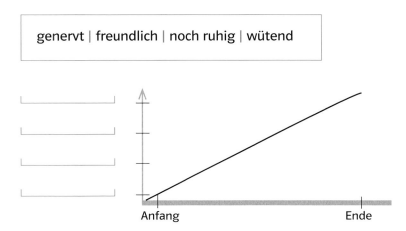

c | Verstehen Sie die Reaktion von Herrn Hilbert?

➜ KB 7

7   **Kennen Sie Ihre Lernpartnerin / Ihren Lernpartner / Ihre Lehrerin / Ihren Lehrer?**

a | Spekulieren Sie.

Er / Sie mag ⌞k_____⌟ , ⌞k_____⌟ und ⌞k_____⌟ .

Aber er / sie mag ⌞_____⌟ , ⌞_____⌟ und ⌞_____⌟ .

b | Fragen Sie.

▪ Magst du…? / Mögen Sie…?

➜ KB 10

8   **Arbeitsalltag einer Marktverkäuferin**

a | Bringen Sie die Textteile in die richtige Reihenfolge.

☐   **A**   Heute hat sie um 6:40 Uhr ihre erste Kundin. Die Frau kauft drei Pfund Kartoffeln für zwei Euro.

☐   **B**   Bis 15 Uhr steht sie am Stand und verkauft ihre Waren. Dann kommt ihr Mann mit dem Transporter und holt sie ab.

☐   **C**   Normalerweise steht Katharina Koch um halb fünf auf. Schnell trinkt sie ihren Kaffee. Dann fahren sie und ihr Mann los.

☐   **D**   Kurz vor sechs bauen sie den Stand auf.

☐   **E**   Zwischen 9:30 Uhr und 13 Uhr hat sie viele Kunden.

☐   **F**   Um 15:20 fahren sie wieder nach Hause.

STRATEGIE

Die ⌞_____⌟ helfen bei der Orientierung im Text.

b | Was hilft bei der Orientierung?

9   **Trennbare Verben – Verben mit Präfix**

Rekonstruieren Sie die trennbaren Verben aus dem Kursbuch. Bilden Sie Sätze.

| holen | stehen | fangen | bauen | laden | kaufen | fahren | kommen | gehen | hören |

ab	an	auf	aus	ein	los	weg	zurück
abholen							

10 Verben in Sätzen

a | Markieren Sie die Verben. Vergleichen Sie die Verben. Notieren Sie die Infinitive.

	Infinitiv	trennbar
1. Die Kunden kaufen gern bei Katharina Koch ein.	einkaufen	☐
Die erste Kundin kauft drei Pfund Kartoffeln.		☐
2. Zweimal in der Woche bietet sie ihre Waren an.		☐
Zwischen 9:30 und 13 Uhr bedient sie viele Kunden.		☐
3. Sie steht schon um halb fünf auf.		☐
Danach steht sie neun Stunden an ihrem Stand.		☐
4. Sie hört nicht mehr so gut.		☐
Wann hört sie auf?		☐
5. Dann fahren sie und ihr Mann erst mal weg.		☐
Vielleicht fahren sie nach Griechenland.		☐

b | Welche Verben sind trennbar? Kreuzen Sie an.

FOKUS SPRACHE

Trennbare Verben: Das Präfix gibt dem Verb eine bestimmte Bedeutung.
Sie finden das Präfix am _____ .

11 Ein Interview

Notieren Sie Fragen für ein Interview mit Hermann Langner.

> aufstehen | losfahren | mit der Arbeit anfangen | alleine arbeiten | nach Hause zurückkommen | gern Bäcker sein | abends fernsehen

Herr Langner, Bäcker stehen normalerweise früh auf.
Um wie viel Uhr _____ ?

Das ist Hermann Langner in seiner Bäckerei.

12 Wortstellung: trennbare Verben

Ergänzen Sie bitte. Schreiben Sie in jede Tabelle noch einen Satz.

Aussagesatz

	Position 2 Verb Teil 1		Satzende Verb Teil 2
Ich	kaufe	normalerweise	
Mittags		ich die Kinder von der Schule	ab.

Das Subjekt steht vor oder nach dem Verb.

W-Frage

	Position 2 Verb Teil 1		Satzende Verb Teil 2
Wann		ihr nach Hause	zurück?

Ja-/Nein-Frage

Position 1 Verb Teil 1			Satzende Verb Teil 2
Fängt	der Deutschkurs	heute später	?

FOKUS SPRACHE

Trennbare Verben
Aussagesatz und W-Frage:
Verb Teil 1 steht auf Position ⌐
Verb Teil 2 (Präfix) steht
am ⌐

Ja-/Nein-Frage:
Verb Teil 1 steht ⌐ ⌐,
Verb Teil 2 ⌐ ⌐
⌐ ⌐.

13 Aus der Zeitung

a | Lesen Sie die Überschrift. Diskutieren Sie. Worum geht es im Text?

> ### Mit Schokoladenkuchen fit und gesund
>
> Johannes Neumann aus Ulm isst jeden Tag einen ganzen Schokoladenkuchen. „Ich esse nur Schokoladenkuchen und sonst nichts, Gemüse und Obst machen mich krank", sagt er. Johannes Neumann macht viel Sport, er fühlt sich fit und gesund. Seine Frau allerdings macht sich Sorgen: „Jeden Tag Schokoladenkuchen, das ist doch nicht normal!" Aber er bleibt dabei: „Schokoladenkuchen hält fit und gesund!"

b | Lesen Sie den Artikel. Stimmen Ihre Vermutungen?

c | Beantworten Sie die W-Fragen.

Wer?

Wo?

Was macht die Person?

Warum?

STRATEGIE

Einen Text verstehen
1. Vermutungen: Was ist hier los?
2. Stimmen Ihre Vermutungen?
3. W-Fragen an den Text stellen

→ KB 13 **14** ## Ein neuer Termin

Andris Jansons hat einen
Arbeitstermin mit einer Kollegin,
aber er muss zum Arzt.
Ergänzen Sie seine E-Mail.

Von: a.janson@aventus.de
An: e.klein@aventus.de
Betreff: neuer ⌐_____⌐ am Mittwoch

Liebe Frau Klein,
⌐_____ Dienstagnachmittag ⌐_____ 14:30 ⌐_____ haben wir ⌐_____⌐
Arbeitstermin. Aber es geht nun leider nicht: Ich habe ⌐_____⌐
⌐_____ beim Arzt. Vielleicht geht es ⌐_____ Mittwoch? ⌐_____⌐
⌐_____⌐⌐_____ Uhr? Ich erwarte Ihre Antwort. Vielen ⌐_____.

Mit freundlichen Grüßen
Andris Jansons

→ KB 14 **15** ## Wer sagt das?

Kreuzen Sie bitte an.

	Kunde / Kundin	Verkäufer / Verkäuferin
1. Entschuldigung, wo finde ich …?		
2. War alles in Ordnung?		
3. Sonst noch etwas?		
4. Was haben Sie heute im Angebot?		

	Kunde / Kundin	Verkäufer / Verkäuferin
5. Danke, das war's.		
6. Da hinten im Regal rechts.		
7. Ich glaube, da stimmt etwas nicht.		
8. Ich brauche noch eine Tüte.		

16 ## An der Kasse reklamieren

1 Packung   4,89
2 Packungen 6,34

TIPP

Lernen Sie wichtige Wendungen genau auswendig.

Der Kassenzettel stimmt nicht. Was sagen Sie? Zwei Wendungen sind richtig.
Streichen Sie die falsche Wendung durch.

1.
a. Entschuldigen Sie, es gibt ein Problem.
b. Entschuldigen Sie, ich habe Probleme.
c. Entschuldigen Sie, da ist ein Problem.

2.
a. Entschuldigen Sie, da stimmt etwas nicht.
b. Entschuldigen Sie, das stimmt nicht.
c. Entschuldigen Sie, der Kaffee stimmt nicht.

3.
a. Entschuldigen Sie, das ist keine Ordnung.
b. Entschuldigen Sie, das ist nicht in Ordnung.
c. Entschuldigen Sie, der Kassenzettel ist nicht in Ordnung.

4.
a. Sie haben Kaffee im Angebot.
b. Der Kaffee ist im Angebot.
c. Der Kaffee ist ein Angebot.

→ KB 15   **17   Angebote nutzen**

_25   **a |**   Hören Sie: Was ist im Angebot?
Markieren Sie auf Ihrem Einkaufszettel.

Milch	Wein
Käse	Tee
Bananen	Gemüse
Äpfel	Zahnpasta
Mineralwasser	Toilettenpapier
Bier	

b | Nicht alle Waren auf Ihrem Einkaufszettel sind günstig.
Ergänzen Sie bitte die Personalpronomen.

Sie kaufen ⌐_____⌐. Aber er ist leider nicht im Angebot.

Sie brauchen ⌐_____⌐. Aber sie ist teuer. Sie kaufen ⌐_____⌐ in Flaschen. In Flaschen

ist es nicht so günstig. Und die ⌐_____⌐ aus Österreich? Heute sind sie leider nicht Bio.

STRATEGIE

Sie achten beim Hören auf etwa
Bestimmtes: Sie hören selektiv.

18   Mengenangaben

Was kaufen Sie in welchen Mengen? Notieren Sie.

Flasche	Dose	Packung	kg (Kilogramm)	g (Gramm)	Stück	l (Liter)
Olivenöl						

19   Lustige Reime mit E-Lauten

_26   **a |**   Hören Sie die Reime und achten Sie auf die E-Laute.

[ɛ] **kurz:** Babett – das Omelett | Herr Mettel – der Zettel | Frau Scheffer – der Pfeffer
[ɛ:] **lang:** Herr Fräse – der Käse
[e:] **lang:** Frau Scheel – das Mehl | Renee – der Tee | der Tee – der Kaffee | Herr Speer – leer

b | Hören sie noch einmal und sprechen Sie nach.

c | Lesen Sie. Was reimt sich? Verbinden Sie. Achten Sie auf die markierten Wörter.

Vielen Dank, Babett! ○	○ Hier ist der Kassenzettel.
Einen Moment, Renee! ○	○ Der Kühlschrank ist ganz leer.
Ich möchte keinen Tee. ○	○ Ich trinke noch den Tee.
Entschuldigung, Herr Fräse. ○	○ Wo ist denn der Kaffee?
So ein Mist, Frau Scheffer. ○	○ Ich esse das Omelett.
In Ordnung, Herr Mettel. ○	○ Was kostet denn der Käse?
Sie haben Recht, Herr Speer. ○	○ Hier ist die Tüte Mehl.
Kein Problem, Frau Scheel. ○	○ Im Salat ist zu viel Pfeffer.

_27   **d |**   Hören Sie und rufen Sie schnell den passenden Reim. Sprechen Sie die E-Laute richtig.

_28   **e |**   Hören Sie die Reime. Sprechen Sie nach. Wer macht es am lustigsten?

Essen in Poesie

_29

a | Hören Sie das Gedicht.

b | Lesen Sie das Gedicht rhythmisch. Achten Sie auf die Reime.

Brötchen, Butter, Ei und Käse,
Schinken, Wurst und Mayonnaise.
Nudeln, Bohnen und Spinat,
Gulaschsuppe mit Salat.
Eis, Pralinen, Schokolade,
Kuchen, Torte, Marmelade.
Jogurt, Müsli, Honig, Tee,
Apfelsaft, Milch und Kaffee.
Schnitzel, Würstchen, Fleisch und Fisch –
das kommt alles auf den Tisch.

c | Schreiben Sie Ihr eigenes Gedicht. Achten Sie auf Rhythmus und Reime.
Lesen Sie Ihr Gedicht vor.

Keine Butter und kein Käse,
aber ...

Ein Cartoon

Was kochen wir heute? Ergänzen Sie seine Sprechblase.

Waren im Supermarkt

Woher kommen die Waren in Ihrem Supermarkt? Recherchieren Sie.

Einkaufszettel

Schreiben Sie Ihren Einkaufszettel für das Wochenende.

> 1 kg Äpfel
> 1 l Milch
> Eier
> 3 Flaschen …
> 100 g …
> …

> der Wein
> das Bier
> die Cola
> der Fisch
> …

Lebensmittel

Schreiben Sie Ihr „Ich-mag-nicht-ABC".

Ich mag

A ⌐ keinen _____⌐

B ⌐ _____⌐

C ⌐ _____⌐

…

Arbeitstag

Beschreiben Sie Ihren Arbeitstag.

1. ⌐ Um _____ Uhr stehe ich auf. ⌐

2. ⌐ _____ ⌐

3. ⌐ _____ ⌐

4. ⌐ _____ ⌐

5. ⌐ _____ ⌐

> aufstehen
> frühstücken
> losfahren / losgehen
> arbeiten von … bis …
> zurückfahren /
> zurückkommen
> einkaufen
> …

So sage ich: Einkaufsgespräche führen

Sie brauchen 200 g Schinken: ⌐ _____ ⌐

Sie fragen nach dem Preis: ⌐ _____ ⌐

Sie brauchen Toilettenpapier, aber Sie finden es nicht: ⌐ _____ ⌐

Auf dem Kassenzettel ist ein Fehler: ⌐ _____ ⌐

Unbestimmter Artikel / Negativartikel: Nominativ – Akkusativ

maskulin		neutral		feminin		Plural
Nominativ	**Akkusativ**	**Nominativ**	**Akkusativ**	**Nominativ**	**Akkusativ**	**Nominativ + Akkusativ**
ein Kuchen	einen Kuchen	ein Omelett	ein Omelett	eine Suppe	eine Suppe	Kuchen, Omeletts, …
kein Kuchen	keinen Kuchen	kein Omelett	kein Omelett	keine Suppe	keine Suppe	keine Kuchen, keine Omeletts

- Welche Form ist besonders? Markieren Sie.
- Lebensmittel ohne Artikel: Ich brauche Mehl, Zucker, ⌞_____⌟ und ⌞_____⌟.
- Lebensmittel mit Negativartikel: Ich habe kein Mehl, ⌞_____⌟ und ⌞_____⌟.

Nominativ und Akkusativ im Satz

Nominativ	Verb	Ergänzung	
Das	ist	ein Krankenhaus.	**Nominativ**
Frank Stiller	ist	dort Arzt.	**Nominativ**
Er	ist	der Stationsarzt.	**Nominativ**
Sie	brauchen	noch einen Arzt.	**Akkusativ**

N ← sein → N

N ← brauchen → A

Personalpronomen

maskulin	neutral	feminin	Plural
der Sohn – er	das Kind – es	die Tochter – sie	die Leute – sie
der Käse – er	das Bier – es	die Milch – sie	die Bananen – sie

- Markieren Sie Entsprechungen.

Trennbare Verben

		Position 2 Verb Teil 1		Satzende Verb Teil 2
Aussagesatz	Normalerweise	steht	Herr Langner um 4 Uhr	auf.
	Seine Frau	hilft		mit.
W-Frage	Wann	fängt	er mit der Arbeit	an?

	Position 1 Verb			Satzende Verb Teil 2
Ja- / Nein-Frage	Kommen	Sie	spät nach Hause	zurück?

Das Verb *mögen*

ich	mag		wir	mögen	
du	magst		ihr	mögt	
er / es / sie	mag		sie	mögen	

- Was mögen die Personen? Ergänzen Sie.

1 Vermutungen

a | Das ist Mike. Was glauben Sie, was ist er von Beruf? Wie ist sein Tagesablauf? Wann arbeitet er und wann hat er Freizeit? Notieren Sie.

_4

b | Sehen Sie jetzt den Film. Stimmen Ihre Vermutungen?

2 Steckbrief

Sehen Sie den Film noch einmal. Ergänzen Sie dann den Steckbrief. Vergleichen Sie mit Ihrer Lernpartnerin / Ihrem Lernpartner.

Vorname: *Mike, aber eigentlich heißt er ...*
Familienname:
Wohnort:
Mikes 1. Beruf:
Mike arbeitet jetzt: *im*
Arbeitszeiten: *von ... bis ...*
Kinder:
Haustier: *Hase*
Hobbys:
Lieblingsplatz: *Bett*

3 Pantomime

a | Was macht Mike? Sehen Sie den Film noch einmal. Notieren Sie.

Butterbrezeln machen, Kaffee kochen, ...

b | Spielen Sie eine Situation aus dem Film. Die anderen raten.

▪ Mike macht Kaffee.

4 Lebensmittel sortieren

a | Welche Lebensmittel sehen Sie wo im Film? Und welche sehen Sie nicht?
Ergänzen Sie die Tabelle mit den Lebensmitteln.

> Eier | Brot | Brezeln | Zitronen | Würstchen 🍌 | Gurken 🥒 | Kuchen |
>
> Kaffee | Ananas 🍍 | Orangen | Käse | Kartoffeln | Lolly 🍭 | Paprika 🫑 |
>
> Wein | Bananen | Milch | Butter | Fisch | Reis | Äpfel | Tomaten

im Restaurant	in der Markthalle	zu Hause	nicht im Film

b | Vergleichen Sie mit Ihrer Lernpartnerin / Ihrem Lernpartner. Sehen Sie als Kontrolle den Film noch einmal.

5 Auszeit – Zeit ohne Stress

Wann nehmen Sie sich Ihre Auszeit? Schreiben Sie einen Satz, oder malen Sie ein Bild.
Hängen Sie die Ergebnisse auf und sprechen Sie darüber.

Mike in der Auszeit

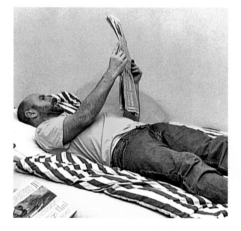

Mike nimmt sich (macht) seine Auszeit

6 Quizfrage

Wann macht Mike sein Restaurant auf? Welche Uhrzeit sehen Sie auf der Kuckucksuhr?

Um _____ Uhr macht Mike die Auszeit auf.

Bearbeiten Sie die Aufgaben. Vergleichen Sie mit den Lösungen auf S. 200. Notieren Sie Ihre Punktzahl.
Markieren Sie in der Rubrik **Ich kann**: 4–6 Punkte = gut, 0–3 Punkte = nicht so gut.

1 Familienbeziehungen ausdrücken ___/6 P

Ergänzen Sie bitte.

- Guten Tag. Darf ich vorstellen: Das sind └─────┘ Sohn und └─────┘ Tochter.

- Annette ist Deutsche. Aber └────┘ Mann ist Libyer. └─────┘ Familie lebt in Tripolis.

- Hallo, Tamara, sind das └──────┘ Kinder?

- Auf Wiedersehen, Herr Bering, grüßen Sie └─────┘ Frau!

	gut ☺	nicht so gut ☹
Ich kann Familienbeziehungen ausdrücken.		

2 Uhrzeiten und Tagesablauf verstehen ___/6 P

🔘_30 Hören Sie. Notieren Sie die Aktivitäten. Zwei Aktivitäten hören Sie nicht.

Uhrzeit	8:30	9:30	10:15	13:10	20:15	21:00	21:45	24:00
Aktivität								

1. losgehen   2. zu Mittag essen   3. frühstücken   4. aufstehen   5. kochen
6. zurückkommen   7. fernsehen   8. einkaufen   9. spazieren gehen   10. lesen

	gut ☺	nicht so gut ☹
Ich kann Uhrzeiten und einfache Informationen zum Tagesablauf verstehen.		

3 Einkaufsgespräche führen ___/6 P

Ordnen Sie bitte zu.

1. Entschuldigen Sie bitte, hier stimmt etwas nicht.   4. Entschuldigung, wo finde ich Milch?
2. Danke, das war's.   5. Wie viel kosten die Tomaten?
3. Ich möchte gern ein Kilo Äpfel.   6. Ich nehme noch 200 Gramm Käse.

etwas suchen		nach dem Preis fragen		etwas reklamieren	
etwas kaufen		ein Kaufgespräch beenden			

	gut ☺	nicht so gut ☹
Ich kann Einkaufsgespräche führen.		

4 Richtig schreiben

___/6 P

Ergänzen Sie: ie – ei / eu – äu.

D__ Verk____ferin ist h____te sehr zufr____den: V__le L____te kaufen ____n.

Kugelschr____ber, Toilettenpap____r und Zw____beln sind im Angebot, Z____tungen

l____der nicht.

	gut ☺	nicht so gut ☹
Ich kann Wörter mit ie / ei, eu / äu richtig schreiben.		

5 Eine Textstruktur erkennen

___/6 P

Nummerieren Sie die Textteile in der richtigen Reihenfolge.

A Unten steht Markus, er ist genervt: „Los! Mach schon! Es ist schon kurz vor acht. Wir kommen zu spät zur Arbeit!"

B Das Handy klingelt. Ich schrecke hoch. Es ist halb acht. Markus ist am Handy: „He, Rebecca, wo bleibst du? Ich stehe seit 10 Minuten unten an der Tür und warte."

C O je, Markus und ich wollen heute doch zusammen zur Arbeit fahren. Wie viel Uhr ist es? Schon 7:45 Uhr. Keine Zeit fürs Frühstück. Schnell, schnell! Ich laufe die Treppe hinunter.

D Früh am Morgen. Ich schlafe noch.

E „Markus! So ein Mist! Heute ist Sonntag! Nicht Montag! Los, nach Hause zurück! Jetzt frühstücken wir erst mal in Ruhe."

F Schnell ins Auto! Mit Tempo 80 durch die Stadt! Was ist los? Nur wenige Autos auf den Straßen! Die Supermärkte sind leer …

A	B	C	D	E	F

	gut ☺	nicht so gut ☹
Ich kann eine Textstruktur erkennen.		

MEIN ERGEBNIS

Übung	Punkte
1	
2	
3	
4	
5	
Summe	

0-14 Punkte: Das ist noch nicht so gut.
Wiederholen Sie noch einmal.
15-20 Punkte: Gutes Ergebnis, ganz okay.
21-30 Punkte: Herzlichen Glückwunsch! Weiter so!

5 Suchen und finden

das Haar, -e		das Gebäude, -	
das Auge, -n		der Bahnhof, ⸚e	
die Größe, -n		der Flughafen, ⸚	
die Kleidung (nur Sg.)		die Polizei (nur Sg.)	
die Brille, -n		die Bücherei, -en	
die Farbe, -n die Haarfarbe		die Kirche, -n	
das Au-pair, -s		der Kindergarten, ⸚	
der Junge, -n das Mädchen, -		das Schwimmbad, ⸚er	
der Fragebogen, ⸚		die Post (nur Sg.)	
das Alter (nur Sg.)		der Brief, -e	
das Geschlecht, -er		der Park, -s	
der Familienstand (nur Sg.)		der Berg, -e	
der Führerschein, -e		die Brücke, -n	
der Mensch, -en		die Ampel, -n	
das Tier, -e		die Kreuzung, -en	
das Hobby, -s		die Ecke, -n	
die Hausarbeit, -en		das Zentrum, Zentren	
die Hausaufgabe, -n		die Station, -en die Endstation, -en	
der Kontakt, -e		der Bus, -se	
das Team, -s	*im Team arbeiten*	die Straßenbahn, -en	
das Werkzeug, -e		die U-Bahn, -en	
der Computer, -	*am Computer arbeiten*	die S-Bahn, -en	
die Landkarte, -n		das Taxi, -s	
die Zeichnung, -en		das Fahrrad, ⸚er	
der Text, -e		das Motorrad, ⸚er	
die Volkshochschule, -n (die VHS)		der Zug, ⸚e	
der Kurs, -e		das Flugzeug, -e	
das Sekretariat, -e		das Schiff, -e	
die Toilette, -n			
der Raum, ⸚e			

Verben

fahren, fährt Auto fahren	
gehen zu Fuß gehen	
aussehen, sieht aus	
tragen, trägt	
rauchen	
können, kann	
aufräumen, räumt auf	
lieben	
zeichnen	
nähen	
stehen	
reparieren	
rechnen	
organisieren	
kennen lernen, lernt kennen	*Leute kennen lernen*
wiederholen	
nehmen, nimmt	*Nimm den Bus!*
einsteigen, steigt ein	
aussteigen, steigt aus	
umsteigen, steigt um	
abfahren, fährt ab	
ankommen, kommt an	
abbiegen, biegt ab	

- Welche Wörter kennen Sie schon? Markieren Sie.
- Welche Wörter sind in Ihrer Sprache ähnlich?
- Zeichnen Sie Piktogramme zu den Verkehrsmitteln.
- Notieren Sie Wörter mit *-ung*, auch aus Lektion 4. Markieren Sie den Artikel.

    die Kleidung,

Adjektive

sportlich ↔ unsportlich	
elegant	
jung ↔ alt	
groß ↔ klein	
lang ↔ kurz	
blond	*blonde Haare*
weiß schwarz grau braun rot gelb blau grün	
modern ↔ unmodern	
schön	
männlich ↔ weiblich	
ledig	
wichtig ↔ unwichtig	
selbstständig	
nervös	
weit ↔ nah	

TIPP

Lernen Sie Adjektive in Gegensatzpaaren: groß ↔ klein, …

Fragewörter

Wohin?	

Wendungen

Hilfe!	
Ja, genau!	
Ja, natürlich!	
Ich finde, …	
Ich denke, …	
Tut mir leid.	
zu spät kommen	
Ist hier noch frei?	
Wie komme ich zum …?	
Wie komme ich nach Hause?	

Kleine Wörter

sofort	
egal	
ein bisschen	
man	
geradeaus nach links nach rechts	
weiter	*Fahr weiter!*
erst …, dann …	
leider	

Präpositionen

in	*in der Ahornstraße*
an	
auf	
vom / von der	
zum / zur	
bis zum / zur	*bis zur Kreuzung*
um (Ort)	*um die Ecke*

Meine Lieblingswörter

Schwierige Wörter

Mein Lieblingssatz

Sie fahren ...
maskulin: └────┘
feminin: └────┘

→ KB 1 **1 In Berlin unterwegs**

Ordnen Sie bitte.

die Post | der Fernsehturm | die Schule | die Berlinale | der Pressetermin

Sie fahren ...

zum   zur

└──────────┘   └──────────┘   Sie fahren nicht,

└──────────┘   └──────────┘   sie gehen └──────────┘.

└──────────┘

2 Wie heißt das Gegenteil?

Verbinden Sie bitte.

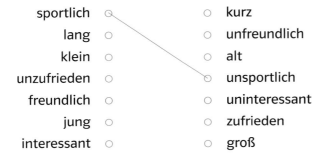

sportlich ○ ──────── ○ kurz
lang ○   ○ unfreundlich
klein ○   ○ alt
unzufrieden ○   ○ unsportlich
freundlich ○   ○ uninteressant
jung ○   ○ zufrieden
interessant ○   ○ groß

Negatives Gegenteil bei Adjektiven:
manchmal Präfix └────┘.
sportlich ↔ unsportlich

→ KB 2 **3 Farben-Spiele**

a | Sprechen Sie wie im Beispiel. Wer zuerst antwortet, bekommt einen Punkt.
Wer hat die meisten Punkte?

▪ Ich seh' etwas, was du nicht siehst, und das ist ... grün!
▫ Die Tafel!

b | Sammeln Sie Assoziationen. Vergleichen Sie.

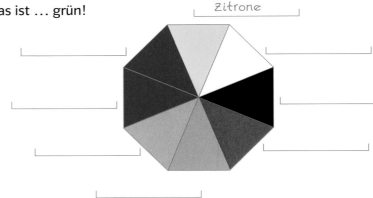

Zitrone

FOKUS SPRACHE

→ KB 3 **4** **Internationale Stars**

> Zitronen sind gelb, aber Haare sind blond:
> Sie hat blonde Haare. / Ihre Haare sind blond.

a | Ergänzen Sie bitte.

1. Der Filmschauspieler George Clooney hat ⌐_____⌐, ⌐_____⌐ Haare.

2. Scarlett Johansson, die Filmschauspielerin, hat ⌐_____⌐, ⌐_____⌐ Augen und

   ⌐_____⌐, ⌐_____⌐ Haare.

3. Cristiano Ronaldo ist ein internationaler Fußball-Star. Seine Haare sind ⌐_____⌐.

4. Amy Winehouse ist eine Soulsängerin. Ihre Augen sind ⌐_____⌐

   und ihre Haare ⌐_____⌐.

b | Und Ihre Haare, Ihre Augen? Beschreiben Sie.

⌐_____⌐

⌐_____⌐

5 **Wie sieht er denn aus?**

_31 Hören Sie das Telefongespräch. Was stimmt? Kreuzen Sie an.

Tim telefoniert mit ☐ seiner Mutter. ☐ seiner Schwester.
Sie soll Pauls Freund Marcel ☐ zum Bahnhof bringen. ☐ vom Bahnhof abholen.
Marcel ist ☐ groß. ☐ klein.
Er hat ☐ kurze braune Haare. ☐ lange schwarze Haare.
Er trägt ☐ keine Brille. ☐ eine Brille.
Er sieht ☐ sportlich aus. ☐ elegant aus.
Er bringt ☐ sein Skateboard mit. ☐ sein Fahrrad mit.

→ KB 8 **6** **Wörter und Wendungen**

Was passt zusammen? Verbinden Sie bitte.

1. im Team	○	○	formulieren
2. Texte	○	○	arbeiten
3. bei Hausaufgaben	○	○	einkaufen
4. Kinder	○	○	arbeiten
5. günstig	○	○	helfen
6. selbstständig	○	○	betreuen

7 Fähigkeiten: Was können diese Personen?

a | Wer kann was? Verbinden Sie bitte.

○ im Team arbeiten ○
○ Stadtpläne lesen ○
○ gut formulieren ○
○ Babys wickeln ○
○ lange sitzen ○
○ Auto fahren ○
○ Termine machen ○
○ Fremdsprachen sprechen ○
○ nähen ○
○ kreativ arbeiten ○
○ Kinder betreuen ○
○ Autos reparieren ○
○ gut organisieren ○
○ bei Hausaufgaben helfen ○
○ kochen ○
○ Probleme lösen ○
○ günstig einkaufen ○
○ mit Computerprogrammen arbeiten ○

Farid, Taxifahrer
Meritt, Dolmetscherin
Tomas, Au-pair-Junge
Beatrice, Arzthelferin
Turgut, Politiker
Sabine, Hausfrau

b | Vergleichen Sie. Sprechen Sie. Ergänzen Sie eventuell.

▪ Farid kann …
▫ Und / Aber er kann auch …

➥ KB 9

8 Bei der Arbeitssuche: Fragen und Antworten

a | Wie lauten die Fragen? Verbinden Sie bitte.

1. Haben Sie ○   ○ verheiratet?
2. Wie alt ○   ○ sprechen Sie?
3. Sind Sie ○   ○ anfangen?
4. Können Sie ○   ○ sind Sie?
5. Wie gut ist ○   ○ einen Führerschein?
6. Wann können Sie ○ ○ sind Sie schon hier?
7. Welche Sprachen ○ ○ Kinder betreuen / …?
8. Wie lange ○   ○ Ihr Deutsch?

b | Fragen und antworten Sie.

→ KB 10 **9** ## Möglichkeiten: Was kann man da machen?

Viele Leute fahren morgens mit der U-Bahn zur Arbeit.
Was kann man da alles machen? Ergänzen Sie.

Man kann

Wörter _____ Musik _____

SMS _____ die Zeitung / ein Buch _____

Leute _____ _____

_____ _____

> **FOKUS SPRACHE**
>
> Unpersönlich, allgemein: Man kann in der
> U-Bahn Zeitung lesen. (= Alle können das.)
> Persönlich: Ich fahre gern U-Bahn. Da kann ich
> _____

→ KB 8, 10 **10** ## Ein Leserbrief zum Thema „Beruf: Hausfrau und Mutter"

Ergänzen Sie bitte Sabines Leserbrief.

Ich bin eigentlich Mathematiklehrerin, aber zurzeit ist mein Arbeitsplatz zu Hause bei meinen Kindern Anita und Boris. Ich bin gerne Mutter und Hausfrau, ich kann in diesem Beruf viele Fähigkeiten anwenden. Ich kann gut nähen, also nähe ich die Kleidung für die Kinder selbst. Ich kann gut rechnen, also _____. Ich kann sehr gut organisieren, ich organisiere _____. Ich kann _____. Am Wochenende habe ich dann auch Zeit für mich. Da ist mein Mann zu Hause und ich kann endlich _____.

> **FOKUS SPRACHE**
>
> Bedeutungen von können
> _____: Sabine kann sehr gut organisieren.
> _____: Am Wochenende kann sie dann Briefe schreiben, telefonieren, ...

11 ## Modalverb *können* – Wortstellung

Ergänzen Sie bitte.

Aussagesatz

	Position 2 Modalverb	Satzende Verb (Infinitiv)
Ich	kann	
Am Wochenende		Sabine

Ja- / Nein-Frage

Position 1 Modalverb		Satzende Verb (Infinitiv)
	Sie	?

→ KB 12   **12**   ## Wie komme ich zum Café?

_32   a | Es ist Freitag, kurz nach 16 Uhr. Bei Sydney klingelt das Handy.
Oleg ist dran. Hören Sie das Gespräch.
Welche Aussagen sind richtig? Kreuzen Sie an.

   ☐ 1. Oleg kann nicht kommen.
   ☐ 2. Oleg ist in der U-Bahn.
   ☐ 3. Oleg wartet im Café Einstein auf Sydney.
   ☐ 4. Sydney beschreibt Oleg den Weg.

b | Hören Sie noch einmal. Wo ist das Café Einstein?
Markieren Sie im Plan.

Schottentor
U2

Universitätsstraße

Reichratsstraße

Universität

Dr.-Karl-Lueger-Ring

Liebiggasse

Grillparzerstraße

Rathaus

c | Später möchte Oleg einen Freund am Universitätseingang treffen.
Wie kommt er dorthin? Spielen Sie den Dialog.

Oleg: **Wie komme ich …**

 STRATEGIE

Eine Wegbeschreibung auf dem Stadtplan
verfolgen. (hören und lesen)

→ KB 15   **13**   ## Leben

_33   a | Hören Sie das Gedicht und achten Sie auf das *-e* am Ende.

b | Hören Sie noch einmal. Welches *-e* hören Sie nicht? Streichen Sie durch.

Leben!

Aufstehen und arbeiten,
essen und schlafen.
Aufstehen und arbeiten,
essen und schlafen.
Ich komme und gehe,
komme und gehe …
Tag für Tag.

Und träumen?
Spielen?
Lachen?
Lieben?

Ach, ich muss doch arbeiten.
Und ich muss doch noch lernen.
Und ich muss doch auch schlafen …

Nein, heute nicht, morgen vielleicht.
Morgen träume, spiele, lache, liebe ich.
Oder am Sonntag. Oder im Urlaub. Oder …?

_34　c | Mit oder ohne schwaches -e? Hören Sie und sprechen Sie nach.

mit -e sprechen

ich komme | ich spiele | ich gehe | ich arbeite | ich esse | ich liebe

ohne -e sprechen

Wir kommen zum Deutschkurs. | Wir spielen Schach. | Wir gehen nach Hause.
Wir arbeiten viel. | Wir essen Brot. | Wir lieben …

d | Lesen Sie das Gedicht emotional.

14　Denk an die Briefe!

a | Zu wem sagen Sie das? Kreuzen Sie bitte an.

Das sage ich zu …

Anna		Frau Hoffmann
☐	Bring die Briefe zur Post!	☐
☐	Fahr mit dem Bus!	☐
☐	Fangen Sie bitte an!	☐
☐	Steigen Sie an der Schillerstraße aus!	☐
☐	Nimm den Einkaufszettel mit!	☐
☐	Nehmen Sie Ihren Pass mit!	☐

> FOKUS SPRACHE
>
> du-Imperativ = ⌞＿＿＿＿＿⌟
> Sie-Imperativ = ⌞＿＿＿＿＿⌟
>
> Aber: Verben mit e→i/ie: du-Form
> du sprichst → ⌞＿＿＿＿⌟!
> Imperativ mit „bitte" klingt höflich:
> Bitte kommen Sie pünktlich!

b | Notieren Sie bitte die fehlenden Formen.

Infinitiv	du-Imperativ		Sie-Imperativ (Sg. + Pl.)	
bringen	Bring!	Verbstamm	Bringen Sie!	Infinitiv + Sie
an|fangen	Fang an!	Verbstamm + Präfix		Inf. + Sie + Präfix
nehmen (e→i)*		du nimmst		Infinitiv + Sie
mit|nehmen		du nimmst + Präfix		Inf. + Sie + Präfix

* Ebenso: essen, helfen, sprechen, lesen, …

c | Notieren Sie die Imperativformen.

	du-Imperativ	Sie-Imperativ
kommen	＿＿＿ bitte!	
helfen	＿＿＿ bitte!	
lesen	＿＿＿ laut!	

	du-Imperativ	Sie-Imperativ
anhalten	＿＿ mal ＿＿!	
aufstehen	＿＿ jetzt ＿＿!	
mitessen	＿＿ doch mit!	

→ KB 15 **15** ## Bitten und Aufforderungen

Formulieren Sie die Bitte / Aufforderung.

Das möchten Sie:

1. Ihr Nachbar: nicht so laut Saxofon spielen
2. Ihre Freundin: kurz auf den Hund auf|passen
3. Ihr Sohn: den Brief vor|lesen
4. Ihr Lernpartner: nicht so schnell sprechen
5. Die Lehrerin: das Wort wiederholen
6. Ihr Mann / Ihre Frau: einkaufen gehen, dann die Kinder von der Schule ab|holen

Das sagen Sie:

Bitte _____

_____

_____

_____

_____

_____

→ KB 17 **16** ## In diesem Dorf gibt es k…

Lösen Sie das Kreuzworträtsel. Ergänzen Sie den Negativartikel.

In dieser Stadt gibt es …

			kein	K			O	
	k____	P			Z	I		
		k____	B			N		F
k____	S			I		A	D	
		k____	B	C		E		I
		k____	K			R		E
	k____	F			G		F	N
		k____	R	A		A		S
	k____	S	U		R	A	K	T
		k____	P			T		
	k____	S	H		E			
k____	K	R		K		N	H		S

… Aber es gibt einen Kindergarten.

→ KB 17, 18 **17** ## Mit dem Taxi durch Berlin

a | Ordnen Sie bitte zu.

> **der** Treptower Park | das Haus der Kulturen der Welt | **der** Fernsehturm | **die** Tiergartenstraße | das Brandenburger Tor | **die** Kreuzung Friedrichstraße / Leipziger Straße | **die** Glienicker Brücke | **der** Kreuzberg | **die** East Side Gallery | **die** U-Bahn | das Schiff | **der** Potsdamer Platz

Hallo, Taxi! Ich bin gerade am Pariser Platz und möchte zum Prenzlauer Berg …

Ich bin gerade …

m / n im (in dem)	f in der	m / n auf dem	f auf der	m / n am (an dem)	f an der

b | Was sagt der Fahrgast zum Taxifahrer? Ergänzen Sie bitte.

der Flughafen Tegel | der Alexanderplatz | die Glienicker Brücke | die Schönhauser Allee |
die Friedrichstraße | der Bahnhof Zoo | das Brandenburger Tor | die Prenzlauer Allee

1. Fahren Sie bitte erst zur ⌐_____⌐ und

dann von der ⌐_____⌐ zum

⌐_____⌐.

2. Fahren Sie bitte zur ⌐_____⌐.

3. Bitte fahren Sie zum

⌐_____⌐.

4. Nein, nicht ⌐_____⌐ Schönhauser Allee,

⌐_____⌐ Prenzlauer Allee!

5. Wie viel kostet die Fahrt

⌐_____⌐ Flughafen?

6. Halten Sie bitte ⌐____⌐

⌐____⌐ Ecke da vorn.

18 Mit dem Bus durch Berlin

a | Sie fahren mit dem Bus durch Berlin. Fragen und antworten Sie.

▪ Hält der Bus am Flughafen Tegel?   ▫ Ja, … / Nein, …

Flughafen Tegel | Alexanderplatz | Glienicker Brücke | Schönhauser Allee |
Friedrichstraße | Stadtbad | Bahnhof Zoo | Brandenburger Tor | Prenzlauer Allee

b | Ergänzen Sie bitte die Antworten des Busfahrers.

▪ Der Bus hält …   ▪ Der Bus fährt …

m	____ Flughafen Tegel	vom	Bahnhof Zoo	____	Alexanderplatz
n	____ Stadtbad	____	Brandenburger Tor	____	Haus der Kulturen
f	____ Glienicker Brücke	____	Prenzlauer Allee	____	Glienicker Brücke

➡ KB 19

19 Welches Verkehrsmittel?

Verbinden Sie bitte.

▪ Fahren Sie doch

mit dem ○
mit der ○

○ Bus!
○ U-Bahn!
○ Straßenbahn!
○ Taxi!
○ S-Bahn!
○ Zug!
○ Schiff!

▫ Gut, dann nehme ich

den ○
das ○
die ○

○ Bus.
○ U-Bahn.
○ Straßenbahn.
○ Taxi.
○ S-Bahn.
○ Zug.
○ Schiff.

FOKUS SPRACHE

Fahren Sie mit ⌐_____⌐ Zug (m),
mit ⌐_____⌐ Schiff (n), mit ⌐_____⌐ U-Bahn (f).

Nehmen Sie ⌐_____⌐ Zug (m), ⌐_____⌐ Schiff (n),
⌐_____⌐ U-Bahn (f).

20 Nominativ und Akkusativ im Dialog

a | Markieren Sie: Nominativ (Subjekt), Akkusativ (Ergänzung).

▪ Fährt der Bus Nummer 10 zum Flughafen?
▫ Nein, der Bus 10 fährt nicht zum Flughafen. Sie können den Bus X7 nehmen.
  Aber nehmen Sie doch die S-Bahn! Die S-Bahn braucht nur 15 Minuten.
▪ Und was kostet ein Taxi?
▫ Nehmen Sie kein Taxi! Das ist zu teuer. Nehmen Sie den Airport-Express,
  der Airport-Express fährt vom Hauptbahnhof ab.

b | Vergleichen Sie. Diskutieren Sie Ihre Lösungen.

c | Ergänzen Sie bitte.

bestimmter Artikel	maskulin	neutral	feminin	Plural
Nominativ Dort steht / stehen	Zug			die Züge, …
Akkusativ Wo finde ich …				die _____ ?

FOKUS SPRACHE

Bestimmter Artikel: Nur ⌐_____
hat eine besondere Form im Akkusativ.

Eine Sehenswürdigkeit in Berlin

a | Wo ist die „East Side Gallery"? Recherchieren Sie im Internet.

b | Was ist die „East Side Gallery"? Kreuzen Sie an.

☐ eine Galerie für moderne Malerei
☐ ein Treffpunkt für Touristen
☐ Teil der Berliner Mauer
☐ Ausstellung von Berliner Künstlern
☐ Werbung für Berlin

 FOKUS LANDESKUNDE

In *Aussichten* lernen Sie die deutsche Standardsprache. Österreich und die deutschsprachige Schweiz haben eine eigene Standardsprache. Unterschiede gibt es besonders in der Aussprache und im Wortschatz. Manche Wörter „wandern" über die Grenzen. An einigen Wörtern erkennt man gleich, woher eine Person kommt.

Die deutsche Sprache in D-A-CH

Lesen Sie und ergänzen Sie die Tabelle.

„der Paradeiser" und „der Erdapfel" sind österreichische Namen für …

D	der / die Taxifahrer/in	D	der / die Frisör/in
A	der / die Taxler/in	A	
CH	der / die Taxichauffeur/in	CH	der Coiffeur / die Coiffeuse

D	das Mineralwasser / der Sprudel (süddt.)	D	die Tomate
A	das Mineral	A	_____ / die Tomate
CH		CH	die Tomate

D	die Tüte	D	die Kartoffel
A	das Sackerl	A	_____ / die Kartoffel
CH	die Tragtasche	CH	die Kartoffel

D	die Straßenbahn / die Tram	D	das Fahrrad / das Rad
A	die Straßenbahn / die Bim	A	das Fahrrad / das Radl
CH	das Tram / die Trambahn	CH	das Velo

Farben

a | Was ist Ihre Lieblingsfarbe? Wo findet man sie?

b | Schreiben Sie kleine Farbrätsel oder Farbgedichte.

> Was ist das?
> Es ist schwarz wie
> die Nacht.

> Blaue Augen
> Blonde Haare
> 17 Jahre

Eine Person beschreiben

Schreiben Sie ein paar Sätze über sich selbst.

| Größe:
| Haarfarbe:
| Augenfarbe:
| Kleidung:
| Typ: (sportlich / elegant / ...)

Verkehrsmittel

Wie kommen Sie zu...? Antworten Sie bitte.

Zum Deutschkurs komme ich ...

In die Stadt fahre ich ...

Zum Bahnhof / Bäcker / Supermarkt ...

Zur Arbeit ...

Zu Freunden ...

Nach Hause ...

> die U-Bahn
> der Bus
> das Fahrrad
> ...
> zu Fuß

Wegbeschreibung

Sie möchten mit Ihrer Lernpartnerin / Ihrem Lernpartner
zu Hause / in einem Café / ... lernen. Machen Sie eine Skizze.
Beschreiben Sie den Weg.

> ... nehmen
> einsteigen
> aussteigen
> abbiegen
> ankommen
> ...

So sage ich: nach dem Weg fragen / einen freien Platz suchen

Sie gehen zum ersten Mal zum Deutschkurs. Sie suchen die VHS, Sie fragen:

Sie suchen den Deutschkurs A1 in der VHS:

Sie möchten von ... zu ...:

Sie suchen einen Platz im Café / im Restaurant:

Modalverb *können*

> Ich kann sehr gut organisieren.

> Dann können Sie morgen bei uns anfangen.

Mit dem Modalverb *können* können Sie Ihre Fähigkeiten nennen und Möglichkeiten ausdrücken.

Aussagesatz

	Position 2 Modalverb		Satzende Verb (Infinitiv)
Ich	kann	sehr gut	organisieren.
Du	kannst	jetzt	losfahren.
In der VHS	kann	man Türkisch	lernen.
Wir	können	im Team	arbeiten.
An der Kreuzung	könnt	ihr links	abbiegen.
Vita und Chao	können	Kinder	betreuen.
Sie	können	morgen	anfangen.

Ja-/Nein-Frage

Position 1		Satzende
Kannst	du ein Baby	füttern?
Kann	man hier Deutsch	lernen?

- Markieren Sie besondere Formen.
- Markieren Sie: Sätze mit „Fähigkeit"/ „Möglichkeit".
- Markieren Sie die trennbaren Verben am Satzende.

Imperativ

	Position 1			
	(Du)	(Sie)		
	Komm	Kommen Sie	bitte pünktlich.	= Bitte
trennbare Verben	Bieg	Biegen Sie	jetzt (bitte) rechts ab!	= Aufforderung / Anweisung
Verben mit e → i / ie	Nimm	Nehmen Sie	den Bus X7!	

Nomen: bestimmter Artikel Nominativ – Akkusativ

	maskulin	neutral	feminin	Pural
Nominativ	der Bus	das Fahrrad	die U-Bahn	die Busse, Fahrräder, …
Akkusativ	den Bus	das Fahrrad	die U-Bahn	die Busse, Fahrräder, …

Lokalangaben: Wo ist …?

m/n	f	m/n	f	m/n	f
im Zug	in der U-Bahn	auf dem Schiff	auf der Brücke	am Petersplatz	an der Kreuzung

- Was ist gleich?

Lokalangaben: von … zu

	m/n	f	m/n	f
Wie komme ich …	vom Bahnhof	von der Post	zum Zentrum	zur U-Bahn?

1 Das Aussehen – Wort für Wort

a | Das ist Markus. Wie sieht er aus? Sammeln Sie Wörter.

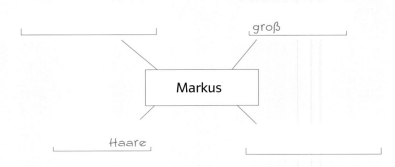

groß

Markus

Haare

b | Bilden Sie Sätze und beschreiben Sie Markus Wort für Wort:
Person A sagt das erste Wort und wirft Person B einen Ball zu. Person B sagt das zweite Wort und wirft den Ball Person C zu. Ist der Satz zu Ende? Dann beginnt die nächste Person mit einem neuen Satz. Macht jemand einen Fehler? Dann helfen die anderen.

A Markus …   B … ist …   C groß.

2 Steckbrief

_5

a | Sehen Sie den ganzen Film. Verbinden Sie die richtigen Angaben.

Vorname:	Stadtführer und Autor
Familienname:	keine festen
Geschlecht:	Markus
Wohnort:	Eckstein
Arbeitsorte:	männlich
Berufe:	Engelskirchen
Arbeitszeiten:	Alva
Name des Kindes:	Stadt und Arbeitszimmer

b | Welche Hobbys hat Markus? Ergänzen Sie den Steckbrief.

3   Unterwegs in der Stadt

▶ _5/1+2

Sehen Sie den Film Teil 1 und 2. Welche Wörter kommen im Film vor?
Ordnen Sie die Wörter zu und vergleichen Sie Ihre Ergebnisse.

A = nur hören | B = nur sehen | C = hören und sehen | D = nicht hören und nicht sehen

der Fahrkartenautomat ☐	der Zug ☐	der Bahnhof ☐
die U-Bahn ☐	die Straßenbahn ☐	die Haltestelle ☐
die S-Bahn ☐	das Monatsticket ☐	die Linie ☐
das Taxi ☐	die Stationen ☐	der Stadtplan ☐

4   Wo ist Markus?

a | Sehen Sie die Fotos an und ordnen Sie die Ortsangaben zu.

im Bahnhof
am Rathaus
auf dem Domplatz
auf dem Sofa
im Arbeitszimmer
auf der Treppe

b | Suchen Sie die Situationen im Film und bringen Sie die Fotos in die richtige Reihenfolge.

5   Typische Namen

a | In Köln heißen viele Familien Schmitz. Welche anderen typisch deutschen Familiennamen kennen Sie?

b | Gibt es in Ihrem Land typische Familiennamen? Sprechen Sie im Kurs.

6   Quizfrage

Wie oft hören Sie im Film den Namen Schmitz?

Start

1 Ein neuer Kursteilnehmer kommt in den Deutschkurs. Stellen Sie drei Fragen: Wie …? Woher …? W…?

2 Wie begrüßt man jemanden? Wie verabschiedet man sich? Nennen Sie je zwei Varianten.

Spielen Sie zu viert. Sie brauchen vier Spielfiguren und einen Würfel. Sie würfeln z. B. eine 4 und gehen auf Feld 4. Lösen Sie die Aufgabe. Ist die Lösung richtig, bleiben Sie auf Feld 4. Ist die Lösung falsch, gehen Sie wieder 4 Felder zurück. (Einige Lösungen sind auf S. 205.)

10 Stellen Sie sich in mindestens drei Sätzen vor.

9 Welche Haarfarbe und welche Augenfarbe hat Ihre Lernpartnerin / Ihr Lernpartner?

 Gehen Sie zwei Felder vor.

 Gehen Sie zwei Felder zurück.

Machen Sie eine Pause.

11 An welchen Wochentagen haben Sie Ihren Deutschkurs?

12 Wie spät ist es?

21 Welche wichtigen Gebäude gibt es in Ihrer Stadt? Nennen Sie fünf.

20 Wie fragen Sie nach dem Weg?
→ Zoo
→ Post
→ Rathaus

19 Was machen Sie gern am Wochenende? (drei Tätigkeiten)

22 Wie ist Ihre Lernpartnerin / Ihr Lernpartner? Nennen Sie drei Adjektive.

23 Sie haben keinen Kugelschreiber dabei. Fragen Sie Ihre Lernpartnerin / Ihren Lernpartner.

24 Die Verkäuferin fragt: „Haben Sie noch einen Wunsch?" Sie möchten nichts mehr. Was antworten Sie?

33 Zählen Sie bis 20.

32 Was sagt das Au-pair zu Anna?
aufstehen – … !
einsteigen – …!
mitkommen – …!

31 Sie machen eine Party. Aber Sie haben k… Wein, k… Cola und k …Bier. Und Sie haben k… Chips.

34 Wer arbeitet auch nachts? Nennen Sie drei Berufe.

35 Im Supermarkt: Was fragt der Kunde?
– … Zahnpasta?
– Im zweiten Regal links.

36 Wie heißen die Fragen:
…? – Danke gut. Und Ihnen?
…? – Sehr gut. Und dir?

3

4 Wie kommen Sie zum Deutschkurs?

5 Nennen Sie fünf Farben im Kursraum.

8

7 Ergänzen Sie den Satz: Gehen Sie zuerst ↑, dann → und dann ←.

6

13

14 Ergänzen Sie:
Ich stehe um 7 Uhr …
Um halb 9 gehe ich …
Gegen 5 kaufe ich …
Am Abend sehe ich oft …

15 Wie heißen die Paare?
… – der Onkel
die Tochter – …
… – der Großvater
die Schwester – …

18 Wie heißen die Fragen?
…? – Ja, aus Rom.
…? – Nein, ich wohne in Wien.

17 Der Lehrer spricht zu schnell. Sie verstehen nicht. Was sagen Sie?

16 Beschreiben Sie Max in drei Sätzen.

25 Sie möchten Äpfel kaufen. Wie fragen Sie nach dem Preis?

26 Nennen Sie drei Lebensmittel mit B…

27

30

29 Nennen Sie ein Gericht aus Ihrem Land und die wichtigsten Zutaten dafür.

28 Ergänzen Sie die Possessivpronomen:
Das ist Lisa und ⌴⌴⌴ Auto. Und das ist Max und ⌴⌴⌴ Handy.

37 Nennen Sie drei Komposita mit *Kartoffel-*. Welche Artikel haben sie?

38

39 Was können Sie auf Deutsch gut machen? Was können Sie noch nicht so gut machen?

Ziel

Herzlichen Glückwunsch!!!

1 Buchstaben und Laute

Vokale

Buch-staben	Laute	Beispiele
A-Laute		
A a Aa aa Ah ah	[aː]	ja Staat Zahl
A a	[a]	Bank
E-Laute		
E e ee Eh eh	[eː]	woher Allee sehr
Ä ä Äh äh	[ɛː]	Präsens wählen
E e Ä ä	[ɛ]	nett ergänzen
-e/ e-	[ə]	bitte Begrüßung
-er/ er-	[ɐ]	vergleichen Nummer

Buch-staben	Laute	Beispiele
I-Laute		
I i ie ih y	[iː]	Berlin hier ihr Handy
I i	[ɪ]	bitte
O-Laute		
O o Oh oh oo	[oː]	Auto wohnen Zoo
O o	[ɔ]	kommen
U-Laute		
U u Uh uh	[uː]	super Uhr
U u	[ʊ]	Nummer

Buch-staben	Laute	Beispiele
Ö-Laute		
Ö ö Öh öh	[øː]	schön fröhlich
Ö ö	[œ]	Wörter
Ü-Laute		
Ü ü Üh üh Y y	[yː]	Tür typisch Frühling
Ü ü Y y	[ʏ]	tschüss sympathisch
Diphthonge		
Au au	[aʊ̯]	Frau
Äu äu Eu eu	[ɔʏ̯]	Häuser neu
Ai ai Ei ei	[aɪ̯]	Mai heißen

Konsonanten

Buch-staben	Laute	Beispiele
B b bb	[b]	Bank Hobby
-b	[p]	gelb
C c	[k] [ts]	Computer CD
Ch ch	[ç] [x]	sprechen Sprache
chs	[ks]	sechs
ck	[k]	backen
D d	[d]	Adresse
-d dt	[t]	Kind Stadt
F f ff	[f]	Fenster Kaffee
G g	[g]	gut
-g	[k]	Tag
-ig	[ç]/[k]	traurig
gs	[ks]	mittags
H h	[h]	heißen
h	-	wohnen

Buch-staben	Laute	Beispiele
J j	[j]	ja
K k	[k]	Klingel
ks	[ks]	links
L l ll	[l]	Land Allee
M m mm	[m]	Mann kommen
N n nn	[n]	Name Mann
ng	[ŋ]	Klingel
nk	[ŋk]	Bank
P p pp	[p]	Platz Tipp
Pf pf	[pf]	Kopf
Ph ph	[f]	Phonetik
Qu qu	[kv]	Qualität
R r rr	[ʀ]	Frau Herr
r	[ɐ]	hier

Buch-staben	Laute	Beispiele
S s	[z]	Sohn
s ss ß	[s]	Haus Adresse heißen
Sch sch	[ʃ]	schön
Sp sp	[ʃp] [sp]	Sport Prospekt
St st	[ʃt] [st]	Straße Post
T t tt Th th	[t]	Tür bitte sympathisch
-tion ts tz	[ts]	Lektion rechts Platz
V v	[f] [v]	vier Visum
W w	[v]	wohnen
X x	[ks]	Max
Z z zz	[ts]	Zahl Pizza

2 Wörter und Sätze

Wortarten

Es gibt verschiedene Wortarten.

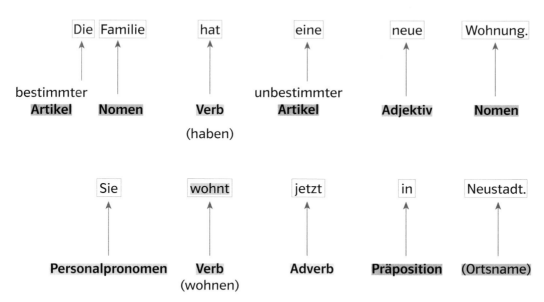

Funktionen

Im Satz haben die Wörter verschiedene Funktionen.

3 Sätze

Satzarten

Aussagesatz

	Position 1	Position 2 Verb Teil 1		Satzende Verb Teil 2
	Ich	bin	Alexis.	
	Mein Name	ist	Beata.	
	Am Wochenende	haben	wir frei.	
Trennbare Verben	Sie	steht	morgens früh	auf.
	Spät am Abend	kommt	sie	zurück.
Verb + Infinitiv	Am Samstagabend	gehen	die Freunde	tanzen.
Modalverb + Infinitiv	Chao	kann	Auto	fahren.

W-Frage

	Position 1	Position 2 Verb Teil 1		Satzende Verb Teil 2
	Wo	wohnst	du?	
	Was	sind	Sie von Beruf?	
	Wie alt	ist	Max?	
Trennbare Verben	Wann	steht	Herr Langner	auf?
Verb + Infinitiv	Wie oft	geht	sie im Supermarkt	einkaufen?
Modalverb + Infinitiv	Was	möchtet	ihr heute	essen?

Ja- / Nein-Frage

	Position 1 Verb Teil 1	Position 2 Subjekt		Satzende Verb Teil 2
	Haben	Sie	Geschwister?	
Trennbare Verben	Siehst	du	auch so gern	fern?
Verb + Infinitiv	Geht	ihr	mittags zusammen	essen?
Modalverb + Infinitiv	Können	Sie	gut im Team	arbeiten?

Imperativ-Satz

	Position 1 Verb Teil 1		Satzende Verb Teil 2
Bitte	denk	an die Briefe!	
	Steigen	Sie bitte	ein!

Wie erkenne ich die Satzarten?

Am Satzeichen, am Fragewort, an der Position des Verbs.

Sätze verbinden

Mit *und, oder, aber* können Sie Satzteile / Sätze verbinden. Vor *aber* steht ein Komma.

Sie kauft Mehl, Milch und Eier.	(gleichgeordnet)
Ich bin Alexa und das ist Pjotr. Und wer sind Sie?	
Ist er Arzt oder Krankenpfleger?	(alternativ)
Gehst du zu Fuß oder fährst du mit dem Auto?	
Die Wohnung ist klein, aber schön.	(adversativ)
Martina möchte einen Apfelkuchen backen, aber sie hat kein Mehl.	

4 Verben

Verben und Personalpronomen → 7

Im Wörterbuch stehen die Verben im Infinitiv: lernen
Präfix → abfahren — Infinitiv-Endung
Verbstamm

In Sätzen stehen die Verben meistens mit dem Personalpronomen und haben eine Personen-Endung: ich antworte, du antwortest, ... Es gibt verschiedene Verbarten.

Konjugation Präsens			unregelmäßig: a → ä , e → i		trennbar	trennbar unregel-mäßig
Personal-pronomen	kochen	antworten	fahren	nehmen	ein|steigen	ein|schlafen
ich	koche	antworte	fahre	nehme	steige ein	schlafe ein
du	kochst	antwortest	fährst	nimmst	steigst ein	schläfst ein
er / es / sie	kocht	antwortet	fährt	nimmt	steigt ein	schläft ein
wir	kochen	antworten	fahren	nehmen	steigen ein	schlafen ein
ihr	kocht	antwortet	fahrt	nehmt	steigt ein	schlaft ein
sie	kochen	antworten	fahren	nehmen	steigen ein	schlafen ein
Sie	kochen	antworten	fahren	nehmen	steigen ein	schlafen ein

- Verbstamm auf *-t, -d, -ch*: du antwortest, er findet, sie rechnet, ...
- Verbstamm auf *-ß, -s*: du heißt, er heißt, ... du liest, er liest, ...
- Unregelmäßige Verben a → ä: fahren / abfahren, schlafen / einschlafen, halten / anhalten, ...
- Unregelmäßige Verben e → i / ie: nehmen / mitnehmen, sehen / fernsehen, lesen, sprechen, essen, ...

> Wie erkenne ich unregelmä-ßige und trennbare Verben?

> An der 2. und 3. Person Präsens. Sie lernen „fahren, fährt", „einsteigen, steigt ein".

Besondere Verben

	haben	sein
ich	habe	bin
du	hast	bist
er / es / sie	hat	ist
wir	haben	sind
ihr	habt	seid
sie	haben	sind
Sie	haben	sind

haben
+ Akkusativ: Sie hat einen Sohn / keinen Dienst.
+ Adjektiv: Wann hast du frei?

sein
+ Fragewort: Wer ist das? Was ist das? Wer sind Sie?
+ Namen: Ich bin Salman.
+ Nomen (Nominativ): Er ist Krankenpfleger.
+ Adjektiv: Die Nachbarin ist sehr nett.

Modalverben

	mögen
ich	mag
du	magst
er / es / sie	mag
wir	mögen
ihr	mögt
sie	mögen
Sie	mögen

	möchte	können
ich	möchte	kann
du	möchtest	kannst
er / es / sie	möchte	kann
wir	möchten	können
ihr	möchtet	könnt
sie	möchten	können
Sie	möchten	können

> Sind bei den Modalverben 1. und 3. Person gleich?

> Ja, und auch bei „mögen".

mögen + Akkusativ
= gern essen / trinken: Magst du Fisch? – Ja, aber keinen Thunfisch.
möchte + Infinitiv / Akkusativ
= Wunsch: Am Samstag möchten wir ins Kino gehen.
          Wer möchte ein Stück Kuchen (haben)?

können + Infinitiv
= Fähigkeit: Er kann sehr gut kochen.
= Möglichkeit: Kann man in der VHS au
          Yoga machen?

Imperativ

Mit dem Imperativ können Sie eine Bitte, eine Aufforderung, eine Anweisung formulieren.

Infinitiv	du-Imperativ	Sie-Imperativ (Sg. + Pl.)
kommen	Komm!	Kommen Sie!
los|fahren	Fahr los!	Fahren Sie los!
lesen, du liest	Lies!*	Lesen Sie!

* Ebenso: sprechen, du sprichst → Sprich!; essen, du isst → Iss!; helfen, du hilfst → Hilf!

> Wie bildet man den Imperativ?

> Meistens aus dem Infinitiv. Nur bei den unregelmäßigen Verben auf e → i / ie ist es anders.

Bitte: Du gehst doch einkaufen. Bring bitte Bananen mit.
Anweisung: Biegen Sie jetzt rechts ab!
Aufforderung: Iss mehr Obst und Gemüse. Das ist gesund.

5 Nomen

Singular

Wie erkenne ich Nomen im Satz?

Nomen schreibt man groß.

Nomen bezeichnen zum Beispiel:

- Lebewesen: der Mann, der Sohn, der Vogel, das Kind, das Mädchen, die Frau, die Nachbarin
- Gegenstände: der Balkon, der Fragebogen, das Auto, das Gebäude, die Banane, die Kiste
- Abstraktes: der Dank, das Alter, das Problem, die Ordnung, die Entschuldigung

Es gibt maskuline, neutrale, feminine Nomen (= Genus).

Wie erkenne ich das Genus?

Am bestimmten Artikel Singular.

Artikel	maskulin (m)	neutral (n)	feminin (f)	Plural (m, n, f)
bestimmt	der Bruder	das Mädchen	die Schwester	die Brüder, Mädchen, Schwestern
unbestimmt	ein Bruder	ein Mädchen	eine Schwester	Brüder, Mädchen, Schwestern

Gebrauch:

Unbestimmter Artikel: zum ersten Mal genannt / nicht näher definiert

Bestimmter Artikel: schon bekannt / schon genannt / näher definiert

Gibt es hier ein Café? – Ja, da vorn, das Café Einstein.

Plural

der Apfel – drei Äpfel – 1 Kilo Äpfel

-n / -en	Schulen, Kisten, Kollegen, Familien, Schwestern, Studenten, Türen, Zeichnungen, …
-e / ⸚e	Tage, Tiere, Filme, Kurse, Freunde, Söhne, Plätze, Züge, Bahnhöfe, …
-er / ⸚er	Kinder, Fahrräder, Länder, Schwimmbäder, …
- / ⸚	Lehrer, Kuchen, Kugelschreiber, Lebensmittel, Äpfel, Brüder, Väter, Kindergärten, …
-s	Taxis, Autos, Fotos, Handys, DVDs, Babys, Partys, …
-nen	Lehrerinnen, Psychologinnen, Studentinnen, Lernpartnerinnen, Schwägerinnen, …

Manche Nomen haben nur Singular, z. B. das Salz, das Gemüse, der Sport, die Polizei, …

Manche Nomen haben nur Plural, z. B. die Leute, die Geschwister, …

Gibt es Regeln für den Plural?

Nur wenige, z. B. -nen bei femininen Berufsnomen mit -in; -s bei Nomen mit Vokal am Ende, …

Nomen im Nominativ und Akkusativ

Nomen haben verschiedene Funktionen im Satz, z.B. Subjekt oder Ergänzung. Das Subjekt ist im Nominativ, die Ergänzung ist oft im Akkusativ.

> Wann brauche ich Akkusativ?

> Viele Verben haben immer eine Akkusativ-Ergänzung.

Nominativ (auch nach *sein*)

Julian ist Lehrer von Beruf.

Der Arzt ist nicht da.

Meine Schwester wohnt in Zürich.

Akkusativ

Wir haben einen Lehrer, keine Lehrerin.

Bitte holen Sie den Arzt.

Wann besuchst du deine Schwester?

Verben mit Akkusativ sind z.B. haben, machen, brauchen, sehen, lesen, kochen, essen, besuchen, …

Artikelwörter im Nominativ

	maskulin (m)	neutral (n)	feminin (f)	Plural (m, n, f)
bestimmter Artikel	der Sohn	das Kind	die Tochter	die Söhne, Kinder, …
unbestimmter Artikel	ein Sohn	ein Kind	eine Tochter	Söhne, Kinder, …
Negativartikel	kein Sohn	kein Kind	keine Tochter	keine Söhne, Kinder, …
Possessivartikel	mein Sohn	mein Kind	meine Tochter	meine Söhne, Kinder, …

Artikelwörter im Akkusativ

	maskulin (m)	neutral (n)	feminin (f)	Plural (m, n, f)
bestimmter Artikel	den Sohn	das Kind	die Tochter	die Söhne, Kinder, …
unbestimmter Artikel	einen Sohn	ein Kind	eine Tochter	Söhne, Kinder, …
Negativartikel	keinen Sohn	kein Kind	keine Tochter	keine Söhne, Kinder, …
Possessivartikel	meinen Sohn	mein Kind	meine Tochter	meine Söhne, Kinder, …

Nur maskulin Singular hat im Akkusativ eine besondere Form.

Possessivartikel

Der Possessivartikel nennt Zugehörigkeit, Besitz. Er hat dieselben Endungen wie *ein / kein*.

ich	mein Onkel, meine Tante
du	dein Onkel, deine Tante
er / es sie	sein Onkel, seine Tante ihr Onkel, ihre Tante

wir	unser Onkel, uns(e)re Tante
ihr	euer Onkel, eu(e)re Tante
sie Sie	ihr Onkel, ihre Tante Ihr Onkel, Ihre Tante

> Was ist das Besondere beim Possessivartikel?

> Es zeigt nach links und nach rechts.

er / es → sein: Er trinkt **seine** Cola.   (die Cola)

sie → ihr: Sie trinkt **ihren** Kaffee.   (der Kaffee)

Zugehörigkeit bei Namen auch mit *-s / '* oder *von*:

Driss ist Carmens Mann. (= Driss ist ihr Mann.) Leila ist Driss' Tochter. (= Leila ist seine Tochter.)

Lisa ist die Tochter von Sabine und Günther. (= Lisa ist ihre Tochter.)

6 Negation

Bei Verben: Heute Abend koche ich nicht: Wir gehen ins Restaurant. – Ich gehe nicht mit.
Bei Nomen: Sie kann keinen Kuchen backen, sie hat kein Mehl und keine Eier.
Bei Adjektiven: Er ist nicht nervös.

7 Pronomen

Personalpronomen

> Wann sagt man „du"?
> Wann sagt man „Sie"?

> du: Kinder, Familie,
> Freunde, oft auch Kollegen
> Sie: alle anderen

Das Personalpronomen steht für (= pro) Personen und Nomen.

	Singular	Plural
1.	ich	wir
2.	du	ihr
3.	er / es / sie	sie
höfliche Form	Sie	Sie

Personen: Diana, wann kommst du? Frau Wegner, kommen Sie auch?
Wo ist Eric? – Er ist im Deutschkurs.

Nomen: Wo ist der Leergutautomat? – Er ist dort hinten.
Kaufen Sie heute Gemüse! Es ist ganz frisch.
Wie viel kostet die Butter? – Nur 1,50 €. Sie ist im Angebot.
Wo sind die Eier? – Sie sind im Kühlschrank.

man

Generelle Aussage: In der Volkshochschule kann man viele verschiedene Kurse besuchen.

8 Fragewörter

Wie heißt du?	– Eva.		Wie oft hast du Kurs?	– Zweimal pro Woche.
Woher kommst du?	– Aus Tschechien.		Wann ist der Kurs?	– Montags und mittwochs.
Wo wohnst du?	– In München.		Wie viel Uhr ist es?	– Halb fünf.
Wie alt bist du?	– 23 Jahre.		Wie lange bleibst du?	– Zwei Stunden.
Wer ist das?	– Das ist Richard.		Wohin gehst du jetzt?	– Zum Kurs.

9 Temporalangaben (Zeit)

Wann?	Am Vormittag (vormittags). Am Mittwoch (mittwochs). In der Nacht (nachts).
Wie viel Uhr ist es?	Viertel vor zehn. Zehn (Uhr). Viertel nach zehn. Zehn Uhr dreißig (10:30).
Um wie viel Uhr?	Um neun (Uhr). Von neun bis ein Uhr. Gegen zehn (Uhr). Um 23.00 Uhr.

10 Lokalangaben und Präpositionen (Ort)

	Präpositionen	
Woher?	aus	Aus Tschechien. Aus dem Iran (m). Aus der Türkei (f).
Wo?	in	In Deutschland / Berlin. Im Zug (m). Im Schwimmbad (n). In der U-Bahn (f).
	an	Am Bebelplatz (m). Am Brandenburger Tor (n). An der Kreuzung (f).
	auf	Auf dem Fernsehturm (m). Auf dem Haus (n). Auf der Brücke (f).
Von wo?	von	Vom Bebelplatz (m). Vom Rathaus (n). Von der Post (f).
Wohin?	zu	Zum Bahnhof (m). Zum Rathaus (n). Zur Post (f). Vom Rathaus zur Post.

Die Wortliste enthält alle Wörter und Ausdrücke der Basisaufgaben in *Aussichten A1.1* (bei Lese- und Hörtexten nur die Wörter, die für das Lösen der Aufgaben wichtig sind).

Die Worteinträge enthalten folgende Informationen:

- Nomen

Abend, der, -e

Wortakzent (lang)   Artikel   Pluralform

Alter, das *(nur Sg.)*

Wortakzent (kurz)   kein Plural

- Verben

buchstabieren

Infinitiv

bist → sein

bei besonderen Formen
Hinweis auf den Infinitiv

abfahren, fährt ab

bei trennbaren und unregelmäßigen
Verben auch 3. Person Singular

Bank, die- en *(Geldinstitut)*

bei Wörtern mit mehreren Bedeutungen
Hinweis zur Unterscheidung

Die Zahl hinter dem Wort zeigt, auf welcher Seite das Wort zum ersten Mal vorkommt.
Wörter für die Prüfung *Start Deutsch 1* sind mit einem Punkt markiert.

Abkürzungen:
LZ = Lesezeichen
Sg. = Singular
Pl. = Plural
jmdn. = jemanden
jmdm. = jemandem

A   abbauen, baut ab 68
    abbiegen, biegt ab 87
- Abend, der, -e 28
    Abendessen, das, - 146
    abends 39
- aber 62
- abfahren, fährt ab 86
- abholen, holt ab 68
    Abteilung, die, -en 70
- Adresse, die, -n 21
    Afghanistan 15

    Afrika 16
    aggressiv 18
- Aha! 15
- Ah ja! 13
    Aktivität, die, -en 64
    Algerien 15
    Allee, die, -n 20
- allein 136
- alles 10
- Alles Gute! 30
- als 29
- also 84
- alt 68
- Alter, das *(nur Sg.)* 80
    am besten 84
    Amerika 16
    Ampel, die, -n 87
    Amt, das, ¨er 23
- an, am *(Ort)* 20
- an, am *(Zeit)* 28
- anbieten, bietet an 68
- anfangen, fängt an 69
- Angebot, das, -e 71
    angenehm 33
    anhalten, hält an 86
- ankommen, kommt an 12
- ankreuzen, kreuzt an LZ
    ansehen, sieht an LZ
- Antwort, die, -en 36
- Apfel, der, ¨ 60
    Arabisch, das *(Sprache, nur Sg.)* 49
- Arbeit, die *(nur Sg.)* 36
- arbeiten 28
    Arbeitstag, der, -e 30
    Argentinien 15
- Arzt, der, ¨e 28
- Ärztin, die, -nen 32
    Arzthelferin, die, -nen 172
    Asien 16
    Äthiopien 15
- auch 20
- auf 21
- auf Deutsch 21
    auf haben, hat auf 73
- Auf Wiedersehen! 10
    aufbauen, baut auf 68
- Aufgabe, die, -n 25
- aufhören, hört auf 68
    aufpassen, passt auf 69
    aufräumen, räumt auf 81
- aufstehen, steht auf 68
    Aufzug, der, ¨e 32
- Auge, das, -n 79
    Augenfarbe, die, -n 79
    Au-pair, das, -s 80
- aus 14
    ausladen, lädt aus 68
- aussehen, sieht aus 78

· aussteigen, steigt aus 86
Australien 16
· Auto, das, -s 13
Automat, der, -en 71
B · Baby, das, -s 48
backen 61
Bäcker, der, - 35
Bäckerin, die, -nen 29
· Bahnhof, der, ⁼e 86
· Balkon, der, -e 13
· Banane, die, -n 60
· Bank, die, -en (Geldinstitut) 21
Basketball, der (Sport, nur Sg.) 80
Batterie, die, -n 60
Bauarbeiter, der, - 37
bedienen 68
begeistert 54
· beginnen 56
begrüßen, sich 34
Begrüßungsrunde, die, -n 17
· bei 36
bequem 73
Berg, der, -e 87
Beruf, der, -e 36
besorgt 46
beschreiben 174
· besuchen 55
bestimmt 107
betreuen 81
· Bier, das, -e 60
bieten 78
· Bild, das, -er LZ
· billig 72
bin 14 → sein
· bis
· Bis bald! 51
Bis dann! 57
Bis nächste Woche! 20
· Bis später! 34
bis zu 87
· bist 19 → sein
· bitte 15
· blau 78
· bleiben 54
· Bleistift, der, -e LZ
blond 77
blöd 144
Brasilien 15
braten, brät 63
Bratkartoffel, die, -n 63
· brauchen 63
· braun 77
· Brief, der, -e 86
Brille, die, -n 77
· bringen 65
· Brot, das, -e 60
· Brötchen, das, - 144
Brücke, die, -n 87

· Bruder, der, ⁼ 48
· Buch, das, ⁼er LZ
Bücherei, die, -en 87
· buchstabieren 21
Buffet, das, -s 56
Büro, das, -s 36
· Bus, der, -se 76
· Butter, die (nur Sg.) 60
C · Café, das, -s 32
· Cent, der, -s 70
· Chef, der, -s 46
China 15
chinesisch 81
Cola, die, -s 66
· Computer, der, - 82
Cousin, der, -s 48
Cousine, die, -n 48
D · da 12
· Dank, der (nur Sg.) 65
· Vielen Dank! 65
· danke 30
Danke vielmals! 71
· dann 84
Darf ich vorstellen? 34
· das 13
· dein, deine 47
denken (Meinung) 81
denken an 86
denn (Partikel) 18
· der 13
· Deutsch, das (Sprache, nur Sg.) 49
· Deutsche, der/die, -n 49
Deutschkurs, der, -e 84
· Deutschland 8
· die 13
Dienst, der, -e 34
· Dienstag, der, -e 34
Dienstplan, der, ⁼e 34
Disco, die, -s 40
DJ, der, -s 28
doch (Partikel) 47
Dolmetscherin, die, -nen 172
· Donnerstag, der, -e 34
Dose, die, -n 70
· du 18
DVD, die, -s 55
E · Ecke, die, -n 84
egal 80
· Ei, das, -er 60
· ein, eine 32
· ein bisschen 81
· Eingang, der, ⁼e 32
· einkaufen 68
Einkaufszettel, der, - 74
einpacken, packt ein 68
einschlafen, schläft ein 86
· einsteigen, steigt ein 86
elegant 76

· Eltern, die (nur Pl.) 47
· E-Mail, die, -s 51
E-Mail-Adresse, die, -n 25
· Ende, das (nur Sg.) 80
endlich 54
Endstation, die, -en 86
England 107
· Englisch, das (Sprache, nur Sg.) 80
· Enkel, der, - 47
· Enkelin, die, -nen 47
· entschuldigen 65
· Entschuldigen Sie! 65
· Entschuldigung! 15
enttäuscht 54
· er 25
Erbse, die, -n 67
Erdbeere, die, -n 67
erfragen 71
ergänzen LZ
erst (↔ schon) 51
erst (zuerst) 84
erste/r/s 18
· es geht 31
· es gibt 70
· essen, isst 51
zu Mittag essen 51
· Essen, das 144
etwas 60
· Euro, der, -s 70
· Europa 16
F Fähigkeit, die, -en 83
· fahren, fährt 76
· Rad fahren 44
· Auto fahren 81
· Fahrrad, das, ⁼er 76
Fahrt, die, -en 177
· falsch 78
· Familie, die, -n 38
· Familienname, der, -n 23
· Familienstand, der (nur Sg.) 80
Fan, der, -s 153
· Farbe, die, -n 78
· Feierabend, der, -e 50
Fenster, das, - 13
Ferien, die (nur Pl.) 88
· fernsehen, sieht fern 39
Fernsehturm, der, ⁼e 76
· Fest, das, -e 56
· Film, der, -e 56
· finden 70
finden (Meinung) 81
· Fisch, der, -e 60
fit 40
· Flasche, die, -n 71
· Fleisch, das (nur Sg.) 60
· Flughafen, der, ⁼ 88
· Flugzeug, das, -e 88
formulieren 82

- Frage, die, -n LZ
  Fragebogen, der, ⸚ 80
- fragen 64
  Frankreich 15
  Französisch, das *(Sprache, nur Sg.)* 49
- Frau *(Anrede)* 31
- Frau, die, -en *(Ehefrau)* 47
- Frau, die, -en *(weibliche Person)* 13
  frei 34
- Freitag, der, -e 34
  Freizeit, die *(nur Sg.)* 44
  Fremdsprache, die, -n 80
- freuen, sich 88
- Freund, der, -e 44
  freundlich 33
  Freut mich. 15
  frisch 72
  Frisör, der, -e 54
  fröhlich 18
  früh 28
  Frühdienst, der, -e 34
- Frühstück, das, -e 144
- frühstücken 39
  Führerschein, der, -e 80
- für 38
- Fuß, der, ⸚e 73
  Fußball, der *(Sport, nur Sg.)* 146
  füttern 81
G ganz 20
  Gastfamilie, die, -n 78
  Gebäude, das, - 87
  Geburtsland, das, ⸚er 80
  gegen *(Zeit)* 51
- gehen 39
  einkaufen gehen 39
  ins Kino gehen 44
  zum Frisör gehen 54
  tanzen gehen 55
  zu Fuß gehen 56
  essen gehen 65
- gelb 78
- Gemüse, das *(nur Sg.)* 68
  Gemüsesuppe, die, -n 63
  genau 84
  genervt 46
  genug 44
- geradeaus 84
  Gericht, das, -e *(Essen)* 63
- gern 40
  Geschlecht, das, -er 80
- Geschwister, die *(nur Pl.)* 48
- Gespräch, das, -e LZ
  gestalten 82
  gesund 72
- Getränk, das, -e 70
  Getränkeabteilung, die, -en 70
- glauben 21
- gleich 84

- Glück, das *(nur Sg.)*
  zum Glück 87
- Gramm, das, (-e) 72
- grau 78
  Griechenland 15
- grillen 55
- groß 77
  Großbritannien 15
- Größe, die, -n 79
- Großeltern, die *(nur Pl.)* 47
  Großfamilie, die, -n 49
- Großmutter, die, ⸚ 47
- Großvater, der, ⸚ 47
- grün 78
- Grüß Gott! *(süddt., österr.)* 10
- Gruß, der, ⸚e 57
  · mit freundlichen Grüßen 81
- günstig 72
- gut 13
- Guten Morgen! 30
- Guten Tag! 10
H · Haar, das, -e 77
  Haarfarbe, die, -n 79
- haben 34
  Dienst haben 34
  frei haben 34
  Zeit haben 36
  Stress haben 36
  Hunger haben 51
- halb 52
- Hallo! 10
- halten, hält *(Bus)* 88
- Handy, das, -s 13
- Haus, das, ⸚er 13
  Hausarbeit, die, -en 81
- Hausaufgabe, die, -n 81
- Hausfrau, die, -en 28
  Hausmann, der, ⸚er 116
  Hausnummer, die, -n 23
  Hebamme, die, -n 37
  Heft, das, -e LZ
- heißen 15
- helfen, hilft LZ
- Herr *(Anrede)* 31
- Herzlich willkommen! 9
- heute 72
  Hi! 19
- hier 19
- Hilfe! 79
- hinten 49
- Hobby, das, -s 80
  höflich 71
- hören LZ
  Musik hören 40
  Hotel, das, -s 21
  hübsch 50
- Hund, der, -e 13
- Hunger, der *(nur Sg.)* 51

  Hut, der, ⸚e 140
I · ich 14
- ihr *(Personalpronomen)* 19
- ihr, ihre *(Possessivartikel)* 49
- ihr, ihre 50
- immer 37
- in, im *(Ort)* 18
- in Ordnung 70
  Indien 15
- Information, die, -nen 32
  Ingenieur, der, -e 29
  inoffiziell 33
- interessant 15
- international 48
  Interview, das, -s 36
  Irak, der 15
- ist 13 → sein
  Italien 15
  Italienisch, das *(Sprache, nur Sg.)* 49
J · ja 20
- Jahr, das, -e 68
  Japan 15
- jetzt 69
  Judo, das *(nur Sg.)* 18
- jung 76
- Junge, der, -n 168
K · Kaffee, der *(nur Sg.)* 60
  Kanada 15
  Kantine, die, -n 53
- kaputt 69
  Karate, das *(nur Sg.)* 18
  Karatetrainer, der, - 25
- Kartoffel, die, -n 63
  Kasachstan 15
  Käse, der *(nur Sg.)* 60
  Käsekuchen, der, - 65
  Käsetheke, die, -n 70
- Kasse, die, -n 71
- kaufen 71
- kein, keine 53
  Keks, der, -e 67
  Kellner, der, - 28
  Kellnerin, die, -nen 32
  Kenia 15
- kennen 88
  kennen lernen 84
- Kilo(gramm), das, -s/(e) 72
- Kind, das, -er 13
  Kinderbetreuung, die *(nur Sg.)* 78
- Kindergarten, der, ⸚ 87
  Kino, das, -s 44
  Kirche, die, -n 87
  Kiste, die, -n 68
- Klar! 65
- Kleidung, die *(nur Sg.)* 79
- klein 49
  Klingel, die, -n 13

klingen 16
Knoblauch, der *(nur Sg.)* 63
Koch, der, ⸚e 32
Köchin, die, -nen 32
· kochen 39
Kohlensäure, die *(nur Sg.)* 66
Kollege, der, -n 19
Kollegin, die, -nen 33
· kommen (aus) 14
    zu spät kommen 85
Kondition, die *(nur Sg.)* 82
· können, kann 81
Kontakt, der, -e 18
· Konzert, das, -e 56
körperlich 82
· kosten 70
Krankenhaus, das, ⸚er 30
Krankenhausteam, das, -s 32
Krankenpfleger, der, - 32
Krankenschwester, die, -n 28
Krankenwagenfahrer, der, - 33
Krankenwagenfahrerin,
    die, -nen 33
kreativ 82
Kreuzung, die, -en 87
· Kuchen, der, - 63
· Kugelschreiber, der, - LZ
Kühlregal, das, -e 71
· Kühlschrank, der, ⸚e 60
· Kunde, der, -n 68
· Kundin, die, -nen 68
Kurier, der, -e 76
· Kurs, der, -e 84
Kursleiter, der, - LZ
Kursleiterin, die, -nen LZ
Kursteilnehmer, der, - 85
· kurz 69
Kuss, der, ⸚e 51
Kuwait 49
L · lachen 174
lächeln 67
Lampe, die, -n 13
· Land, das, ⸚er 25
Landkarte, die, -n 82
· lang 67
· lange 82
langweilig 36
· laut 41
· leben 49
· Leben, das *(nur Sg.)* 46
· Lebensmittel, das, - *(meist Pl.)* 67
lecker 72
· ledig 80
leer 71
Leergutautomat, der, -en 71
· Lehrer, der, - 29
· Lehrerin, die, -nen 29
leicht 82

leid tun 53
· leider 87
lernen 154
· lesen, liest LZ
· Leute, die *(nur Pl.)* 51
· lieben 81
Liechtenstein 8
Lineal, das, -e 122
· links 71
Lippe, die, -n 78
Litauen 15
· Liter, der, - 72
los sein (etwas ist los) 44
losfahren, fährt los 68
losgehen, geht los 69
· lustig 48
M· machen 39
    Yoga machen 39
    Mittagspause machen 44
    Schluss machen 52
    Feierabend machen 52
    Sport machen 55
· Mädchen, das, - 81
· Mai, der *(nur Sg.)* 80
mal *(Partikel)* 86
· man 84
manchmal 37
· Mann, der, ⸚er *(Ehemann)* 46
· Mann, der, ⸚er *(männliche Person)* 13
· männlich 80
Marker, der, - LZ
markieren LZ
Markt, der, ⸚e 68
Marktstand, der, ⸚e 68
Marktverkäuferin, die, -nen 68
Marokkaner, der, - 49
Marokkanerin, die, -nen 49
Marokko 15
Mathematik, die *(nur Sg.)* 82
maximal 80
Mehl, das *(nur Sg.)* 63
· mein, meine 46
Meinung, die, -en 81
· meiste/r/s 68
· Mensch, der, -en 82
Mexiko 15
· Milch, die *(nur Sg.)* 60
Mineralwasser, das *(nur Sg.)* 60
· Minute, die, -n 52
· mit 39
· mitkommen, kommt mit 53
· Mittag, der, -e 28
Mittagessen, das, - 41
· mittags 39
Mittagspause, die, -n 44
· Mittwoch, der, -e 34
· möchte 54
modern 79

· mögen, mag 66
· Moment, der, -e 65
· Monat, der, -e 81
· Montag, der, -e 34
· morgen 55
· Morgen, der, - 28
· morgens 39
Motorrad, das, ⸚er 76
· müde 40
Musik, die *(nur Sg.)* 56
Musiker, der, - 35
· muss 30 → müssen
· Mutter, die, ⸚ 47
N na ja 31
· nach *(Zeit)* 52
· nach *(Ort)* 84
· nach Hause 88
Nachbarin, die, -nen 14
· Nachmittag, der, -e 28
nachmittags 39
Nachricht, die, -en 69
· Nacht, die, ⸚e 28
Nachtarbeiter, der, - 37
Nachtdienst, der, -e 34
nachts 35
nah 20
nähen 82
· Name, der, -n 15
natürlich 85
Neffe, der, -n 49
· nehmen, nimmt 84
· nein 15
nervös 85
nett 14
· neu 10
· nicht 24
Nichte, die, -n 49
· nie 37
Nigeria 15
· noch 60
· noch einmal 20
normalerweise 68
· nur 71
O · oben 71
· Obst, das *(nur Sg.)* 68
· oder 28
offiziell 33
· oft 37
· ohne 66
okay/ok 20
· Öl, das *(nur Sg.)* 63
Olivenöl, das *(nur Sg.)* 72
Omelett, das, -s 63
Onkel, der, - 48
· Opa, der, -s 79
organisieren 82
Orientierung, die *(nur Sg.)* 32

· Ort, der, -e 23
Österreich 8
P Päckchen, das, - 73
Packung, die, -en 72
Park, der, -s 87
· Party, die, -s 56
Pass, der, ¨e 174
passen 79
· Pause, die, -n 52
Person, die, -en 24
persönlich 23
Peru 15
Pfeffer, der (nur Sg.) 63
· Pfund, das, -e 68
Piercing, das, -s 78
Pizza, die, -as/-en 65
Pizzeria, die, -s/...rien 153
· Plan, der, ¨e 34
· Platz, der, ¨e 20
· Platz, der, ¨e (Sitzplatz) 85
Polen 15
Politiker, der, - 76
· Polizei, die (nur Sg.) 87
Polizist, der, -en 32
Polizistin, die, -nen 32
Polnisch, das (Sprache, nur Sg.) 81
Porträt, das, -s 68
Portugal 15
· Post, die (nur Sg.) 41
· Post, die (Gebäude, nur Sg.) 76
· Postleitzahl, die, -en 23
praktisch 73
· Preis, der, -e 71
Pressetermin, der, -e 76
prima 47
privat 35
· Problem, das, -e 65
Profil, das, -e 82
Programm, das, -e 56
Programm (Computer-), das, -e 82
Psychologe, der, -en 32
Psychologin, die, -nen 29
· pünktlich 57
putzen 39
Ratespiel, das, -e 79
Rathaus, das, ¨er 21
· rauchen 80
· Raum, der, ¨e 84
Raumpfleger, der, - 32
Raumpflegerin, die, -nen 32
R reagieren 34
rechnen 82
Recht haben 71
· rechts 70
Regal, das, -e 70
· Reis, der (nur Sg.) 60
Reiseleiterin, die, -nen 76
· reparieren 82

· Restaurant, das, -s 30
· richtig 78
rot 72
Ruhe, die (nur Sg.) 40
Ruhestörung, die, -en 41
Ruhezeit, die, -en 41
· ruhig 36
rund um die Uhr 28
Russland 15
S sagen LZ
· Salat, der, -e 60
Salsa, der (nur Sg.) 65
Salsa tanzen 63
Salsakurs, der, -e 40
· Salz, das (nur Sg.) 63
· Samstag, der, -e 34
Saxofon, das, -e 40
· S-Bahn, die, -en 88
Schach, der (nur Sg.) 55
schade 87
Schafskäse, der (nur Sg.) 72
Schauspielerin, die, -nen 76
Schiff, das, -e 88
· Schinken, der, - 60
· schlafen, schläft 39
· schlecht 13
Schluss, der (nur Sg.) 52
schnell 73
Schokolade, die (nur Sg.) 51
· schon 51
· schön 79
· schreiben LZ
· Schule, die, -n 36
Schwager, der, - 48
Schwägerin, die, -nen 48
schwarz 78
Schwarzbrot, das, -e 68
Schweden 107
Schweiz, die 8
· Schwester, die, -n 48
Schwiegereltern, die (nur Pl.) 47
Schwiegermutter, die, ¨ 47
Schwiegersohn, der, ¨e 47
Schwiegertochter, die, ¨ 47
Schwiegervater, der, ¨ 47
· Schwimmbad, das, ¨er 86
· Schwimmen, das (nur Sg.) 80
· sehen, sieht 170
· sehr 24
· seid 19 → sein
· sein 25
· sein, seine 48
seit 68
Sekretär, der, -e 32
Sekretärin, die, -nen 32
Sekretariat, das, -e 84
Sekt, der (nur Sg.) 66
· selbstständig 82

Servus! (österr.) 10
sicher 107
· Sie (höfliche Anrede) 14
· sie (Pl.) 25
· sie (Sg.) 25
· sind 12 → sein
Situation, die, -en 23
Skateboard, das, -s 131
SMS, die, - 57
so 31
So ein Mist! 64
· sofort 80
· Sohn, der, ¨e 18
Sonnenbrille, die, -n 140
· Sonntag, der, -e 34
sonst 60
Sonstiges 56
Spanien 15
Spanier, der, - 49
Spanierin, die, -nen 49
Spanisch, das (Sprache, nur Sg.) 49
spannend 51
· spät 28
Spätdienst, der, -e 34
spazieren gehen 45
Spiegelei, das, -er 65
· spielen LZ
mit jmdm. spielen 39
Saxofon spielen 40
Schach spielen 55
Fußball spielen 146
· Sport, der (nur Sg.) 55
Sportkurs, der, -e 18
Sportlehrer, der, - 18
sportlich 76
· Sprache, die, -n 9
· sprechen LZ
· Stadt, die, ¨e 9
Stand, der, ¨e 68
Star, der, -s 171
Station, die, -en 33
Stationsarzt, der, ¨e 33
Stationsschwester, die, -n 33
· stehen 82
stimmen 71
· Straße, die, -n 20
· Straßenbahn, die, -en 88
Stress, der (nur Sg.) 36
stressig 35
Stück, das, -e 72
· studieren 40
Stuhl, der, ¨e LZ
· Stunde, die, -n 52
· suchen 71
super 20
Supermarkt, der, ¨e 36
Suppe, die, -n 63
süß 49

sympathisch 50

T Tafel, die, -n LZ
Tag, der, -e 10
Tai-Chi, das *(nur Sg.)* 18
Tankstelle, die, -n 64
Tante, die, -n 48
Tanz, der *(hier nur Sg.)* 56
· tanzen 55
· Tasche, die, -n 128
· Taxi, das, -s 88
· Taxifahrer, der, - 29
Team, das, -s 82
technisch 82
· Tee, der *(nur Sg.)* 60
Telefongespräch, das, -e 46
· telefonieren 39
Telefonnummer, die, -n 24
· Termin, der, -e 69
Text, der, -e 82
Theater, das *(nur Sg.)* 56
Theaterstück, das, -e 56
Theke, die, -n 70
Tiefkühltruhe, die, -n 71
Tier, das, -e 80
· Tisch, der, -e LZ
· Tochter, die, ⸚ 47
· Toilette, die, -n 84
Toilettenpapier, das *(nur Sg.)* 60
· Tomate, die, -n 60
tragen, trägt 77
Training, das, -s 20
Transporter, der, - 68
träumen 174
traurig 18
· treffen (jmdn.), trifft 45
 · Freunde treffen
· trinken 68
· Tschüss! 10
Tür, die, -en 12
Türkei, die 15
Turnier, das, -e 56
Tüte, die, -n 71

U U-Bahn, die, -en 88
üben 50
· Uhr, die *(Zeitangabe, nur Sg.)* 34
· Uhr, die, -en 142
Ukraine, die 15
· um *(Ort)* 84
· um *(Zeit)* 51
umsteigen, steigt um 86
· und 11
unfreundlich 33
uninteressant 170
unsympathisch 14
· unten 65
· Unterricht, der *(nur Sg.)* LZ
unterwegs 86

unwichtig 81
unzufrieden 170
Urlaub, der, -e 174
USA, die *(nur Pl.)* 15

V · Vater, der, ⸚ 46
Vegetarier, der, - 66
Vegetarierin, die, -nen 66
Verabredung, die, -en 53
verabschieden, sich 34
vergleichen LZ
· verheiratet 47
· verkaufen 68
· Verkäufer, der, - 159
· Verkäuferin, die, -nen 159
Verkehrsmittel, das, - *(meist Pl.)* 178
verschieden 83
· verstehen LZ
· viel 30
vielleicht 32
· Viertel *(vor/nach + Uhrzeit)* 52
Vogel, der, ⸚ 13
· Volkshochschule, die, -n (VHS) 84
· von *(+ Name)* 18
· von ... bis 28
· vor *(Zeit)* 52
· Vormittag, der, -e 28
· vormittags 39
vorn 71
· Vorname, der, -n 23
Vorschlag, der, ⸚e 54
· vorstellen (jmdn.), stellt vor 34
· vorstellen, sich, stellt sich vor 34
Vorwahl, die, -en 23

W wählen 25
· wann 34
· war 70 → sein
Ware, die, -n 60
· warm 53
· warten 57
· was 36
· Wasser, das *(nur Sg.)* 66
WC, das, -s 32
wegfahren, fährt weg 69
· weiblich 80
· Wein, der, -e 60
· weiß 72
· weit 86
· weiter 87
· welche/r/s 81
Wendung, die, -en 71
· wenig 30
· wer 14
Werbung, die, -en 72
Werkzeug, das, -e 82
· wichtig 81
wickeln 81
· wie *(Fragewort)* 15

· Wie bitte? 15
· Wie geht's? 30
 · Wie geht es dir? 31
 · Wie geht es euch? 31
 · Wie geht es Ihnen? 31
· wie lang 52
· wie lange 68
· wie oft 66
· wie viel 51
· wiederholen 85
wieso 79
· Willkommen! 14
· wir 12
· wissen, weiß 30
· wo 13
· Woche, die, -n 68
· Wochenende, das, -n 36
Wochenplan, der, ⸚e 41
· woher 14
· wohin 88
· wohnen (in) 20
Wohnort, der, -e 25
· Wohnung, die, -en 12
· Wort, das, ⸚er 13
Wörterbuch, das, ⸚er LZ
Wursttheke, die, -n 70
· wünschen 70
wütend 54

Y Yoga, das *(nur Sg.)* 18

Z Zahl, die, -en 22
Zahnpasta, die *(nur Sg.)* 60
zeichnen 82
Zeichnen, das *(nur Sg.)* 80
Zeichnung, die, -en 82
zeigen 88
· Zeit, die *(nur Sg.)* 30
· Zeitung, die, -en 60
Zentrum, das, Zentren 88
Zettel, der, - 160
· Zigarette, die, -n 60
Zitrone, die, -n 60
Zoo, der, -s 76
zu *(+ Adjektiv)* 41
· zu *(Ort)* 54
zu haben 64
· zu Hause 35
Zucker, der *(nur Sg.)* 64
· zufrieden 68
· Zug, der, ⸚e 88
· zurück 70
zurückfahren, fährt zurück 68
zurückkommen, kommt zurück 69
· zurzeit 29
· zusammen 49
zweimal 68
Zwiebel, die, -n 63
· zwischen 52

Lektion 1

1 a Begrüßung: Guten Tag! Grüß Gott! Hallo! Servus! (Bayern, Österreich)
Abschied: Tschüss! Auf Wiedersehen! Servus! (Bayern, Österreich)

2 links (von oben nach unten): der Balkon, das Fenster, die Klingel, die Tür, das Handy, das Kind
rechts (von oben nach unten): das Haus, der Vogel, die Lampe, der Hund, die Frau, der Mann, das Auto

4 **Fokus** Namen und Nomen schreibt man groß. Am Satzanfang schreibt man groß.

7 ▪ Tag. Ich bin Eva Bauer.
□ Woher kommen Sie?
□ Herzlich willkommen!

8 Wie heißen Sie? Wer sind Sie? Ich bin Rania. Ich heiße Rania. Mein Name ist Rania. Woher kommen Sie? Woher sind Sie? Ich komme aus Jordanien. Ich bin aus Jordanien. Wie bitte?

9 ▪ Guten Tag. Ich bin … Und wer sind Sie?
□ Ich heiße … Woher kommen Sie?
▪ Ich komme aus … Und Sie?
□ Ich komme aus …
▪ Wie bitte?
□ Aus …
▪ Aha. Freut mich.

10 a 1. bin; 2. ist; 3. kommen; 4. komme; 5. –; 6. –

10 b

1. Guten Tag,	ich	bin	Saad Abdallah.
2.	Mein Name	ist	Lola Campos.
3.	Woher	kommen	Sie?
4.	Ich	komme	aus Peru. Und Sie?
5.			Aus dem Irak.
6. Aha,			interessant!

11 1. du; 2. Ich; 3. ihr; 4. Wir; 5. Sie; 6. Ich; 7. du; 8. Ich

12

Ich	bin	Miriam,	ich	wohne	in Leipzig.
Du	bist	Olga,	du	kommst	aus Moskau.
Wir	sind	Peter, Paul und Mary,	wir	wohnen	in der Schillerstraße.
Ihr	seid	sehr nett,	ihr	kommt	sicher aus England.
Sie	sind	also Herr Özgar,	Sie	wohnen	in Köln.
Und Sie	sind	Herr und Frau Anderson,	Sie	kommen	bestimmt aus Schweden!

13 Ich wohne
in Hamburg, in Graz
in der Königstraße, in der Lange Straße, in der Goetheallee, in der Neugasse
im Vogelweg, im Beethovenweg
am Schillerplatz, am Maria-Theresia-Platz

14 a Haus, **B**alkon, Na**m**e, **Kl**ingel, Fenster, **M**ann, Na**ch**barin, **V**ogel, Wo**h**nung, **Z**ahl, Straße, fröhlich, Pla**tz**

15 a elf, einundzwanzig, hundert; drei, dreizehn, dreißig, dreiunddreißig; sechs, sechzehn, sechzig, sechsundsechzig; sieben, siebzehn, siebzig, siebenundsiebzig

15 b 2, 3, 5, 8, 13, 21, 34, 55, 89 (immer die vorletzte und letzte Zahl zusammenzählen)

17 □ Ottostraße 12 in 54327, Hochstadt.
□ 0-6-5 / 2-4-6-7-8-9
□ 0-65 / 24-67-89
□ Ja klar. 676 / 3-4-5-2-7-7-6-8-8-3

18 a 1. Wie heißen Sie? 2. Wie bitte? 3. Woher kommen Sie? 4. (Und) Wo wohnen Sie? 5. (Und) Wer ist das? 6. Wo wohnt er?

18 b

Wie	heißen	Sie?
Woher	kommen	Sie?
Wo	wohnen	Sie?

Fokus W-Fragen: Das Verb steht auf Position 2.

Lust auf mehr
Begrüßungen regional Süddeutschland – 2, 6; Norddeutschland – 1, 5; Österreich – 4, 6; Schweiz – 3

DACH-Post 1. Österreich; 2. Deutschland; 3. Schweiz

Grammatik
Es gibt 4 Personen-Endungen.
Im grammatisch kompletten Aussagesatz und in der W-Frage steht das Verb auf Position 2.

Film ab!
1 c Person 1: Lanz, Franz, Kiebingen; Person 2: Janice, Hamburg; Person 3: Dieterle, Mike, Stuttgart; Person 4: Eckstein, Markus, Engelskirchen

2 a Hamburg: Janice; Engelskirchen: Markus; Stuttgart: Mike; Kiebingen: Franz

2 b Janice – Hallo!; Markus – Tag!; Mike – Grüß Gott!; Franz – Grüß Gott! Hallo! Guten Tag!

2 c Stuttgart – 2; Hamburg – 3; Tübingen – 1; Köln – 4

3 Film 2/1 (Franz Lanz)

Lektion 2

1 a A – 2; B – 3; C – 1; D – 5; E – 4

1 b A – Er ist Taxifahrer. B – Sie ist Lehrerin. C – Er ist DJ.
D – Er ist Kellner. E – Sie ist Hausfrau.

2 maskulin: der Kellner, der Ingenieur, der Lehrer, der
Taxifahrer, der Psychologe
feminin: die Taxifahrerin, die Lehrerin, die Hausfrau,
die Kellnerin, die Krankenschwester, die Psychologin,
die Ingenieurin

Fokus Die feminine Form hat oft die Endung *-in*.

3 falsch: 1. c; 2. a; 3. a, b

4 a 1.
- ▪ Hallo, Florian!
- ▫ Morgen, Timo.
- ▪ Wie geht's dir?
- ▫ Gut. Und dir?
- ▪ Super!

2.
- ▪ Guten Tag, Frau Leiner.
  Wie geht es Ihnen?
- ▫ Gut, Frau Busch. Danke.
  Und Ihnen?
- ▪ Mir geht's nicht so gut …
- ▫ Oh …

4 b Prima, und euch?

4 c ihr: Wie geht es euch?; Sie (Sg.): Wie geht es Ihnen?;
Sie (Sg. + Pl.): Wie geht es Ihnen?

6 ein Psychologe, ein Koch, ein Krankenpfleger, ein
Orthopäde, ein Kellner
eine Kinderärztin, eine Krankenschwester, eine Polizistin, eine Sekretärin, eine Taxifahrerin

7 a die **Kö**chin, die **Ärz**tin, der **Pfle**ger, der Stu**dent**, die
Lehre rin, die **Nach**ba rin, die Sek re **tä**rin, der **Ta**xi-
fah rer, die **Kran**ken schwes ter, die Psy cho **lo** gin

7 b gleich: die **Köch**in – der **Pfleg**er, die **Lehr**erin – die
Nachbarin
nicht gleich: die **Ärzt**in – der Stu**dent**, die **Nach**barin
– die Poli**zist**in, die **Mu**sikerin – die Psycho**log**in,
der Stati**ons**arzt – die **Kran**kenschwester

8 a Der Arzt heißt Dr. Kurtz.

8 b bestimmter Artikel: der Arzt, das Auto, die Ärztin
unbestimmter Artikel: ein Arzt, ein Auto, eine Ärztin

9 –; Er; Er; der; die; die; eine; ein; eine; Die; Sie

12 a deutsch: 2, 3, 5

12 b Montag, Dienstag, Mittwoch, Donnerstag, Freitag,
Samstag, Sonntag

13 1. bist, bin …, habe, bin; 2. ist …, hat; 3. Seid; 4. Habt,
haben, sind, sind, hast

14 Wo arbeiten Sie? – Im Hotel Central. Im Supermarkt.
Im Büro. Zu Hause. Bei VW.
Wann arbeiten Sie? – In der Nacht. Am Wochenende.

15 a 1. bin; 2. arbeiten; 3. Ist; 4. Arbeiten; 5. haben;
6. Sind

15 b

Ich	bin	Lisa Vogel.
Wo	arbeiten	Sie?
Wann	haben	Sie Nachtdienst?

Ist	die Arbeit	stressig?
Arbeiten	Sie	am Sonntag?
Sind	die Kollegen	freundlich?

16 c W-Frage: 2, 5; Ja- / Nein-Frage: 3, 4, 6;
Aussagesatz: 1

Fokus Aussagesatz und W-Frage: Das Verb steht auf
Position 2.
Ja- / Nein-Frage: Das Verb steht auf Position 1.

16 Frau Caselli, wie geht es Ihnen? Kommen Sie aus Italien? Wohnen Sie in Linz? Was sind Sie von Beruf? Ist
der Beruf interessant? Wann arbeiten Sie? Arbeiten
Sie (auch) am Wochenende?

17 a arbeite, nachts, mache Musik in Clubs und Diskotheken

17 b Biorhythmus, nachts besonders kreativ

17 c Problem, meine Freundin, viel Sport, ich bin oft müde

18 a 1. frühstück, sieht … fern; 2. schläft, macht; 3. geht
… einkaufen; 4. arbeitet

18 c ich arbeite, du arbeitest, er / sie arbeitet
ich schlafe, du schläfst, er / sie schläft
ich sehe fern, du siehst fern, er / sie sieht fern
ich gehe einkaufen, du gehst einkaufen, er / sie geht
einkaufen

19

Sie	frühstückt	am Morgen.	
Beim Frühstück	sieht	sie	fern.
Sie	geht	am Nachmittag	einkaufen.

Fokus Manche Verben haben 2 Teile. Teil 1 steht auf
Position 2, Teil 2 steht am Satzende.

Grammatik

Aussagesatz: Auf Position 1 steht ein Wort oder eine
Wortgruppe.

Film ab!

1 a Saxofon, Schlagzeug

1 b Schlagzeug

2 Familienname: Lanz; Alter: 50; Wohnort: Kiebingen;
Beruf: Busfahrer; Arbeitsort: Tübingen; Hobbys:
Schlagzeug spielen; Auto: rot; Lieblingsplatz: Sofa

3 1. Grüß Gott!; 2. Hallo! Guten Tag!; 3. Guten Tag!

4 a *Zum Beispiel:* Haus, Tür, Sofa, Bus, Auto, Mann, Frau, Schlagzeug, Kapelle, Straße, Stadt

6 Film 2/2

Das kann ich schon! | Lektion 1–2

1 1 – e; 2 – c; 3 – b; 4 – f; 5 – a; 6 – d

2 du: 2, 3, 4; Sie: 1, 5, 6

3 6–12: Mo, Mi; 12–18: Di, Do; 20–6: Fr, Sa

4 *Zum Beispiel:* Lisa Vogel ist Krankenschwester. Sie arbeitet im Krankenhaus. Sie hat oft Nachtdienst. Die Arbeit ist stressig. Am Vormittag schläft sie. Lisa Vogel wohnt am Elisabethplatz in Neustadt. / Lisa Vogel wohnt in Neustadt, am Elisabethplatz. Sie macht Yoga. Sie hat ein Kind. Lisa Vogel ist nett / sympathisch.

5 Köchin, Lehrerin, Ärztin, Student, Polizist, Guten Tag!, Auf Wiedersehen!

Lektion 3

Wortschatz sprichst; triffst, trifft; isst, essen

1 b 1. genervt; 2. fröhlich; 3. müde

2 a, b 1. ¡Dígame! – Spanien; 2. Hello? – Großbritannien; 3. Müller. – Deutschland; 4. Pronto? – Italien; 5. Allô? – Frankreich

Fokus Am Telefon meldet man sich mit dem Namen.

3 maskulin: der Bruder, der Cousin, der Enkel, der Großvater, der Neffe, der Onkel, der Sohn, der Schwager, der Schwiegersohn, der Schwiegervater, der Vater
feminin: die Großmutter, die Cousine, die Mutter, die Nichte, die Schwägerin, die Enkelin, die Schwester, die Schwiegermutter, die Tante, die Tochter, die Schwiegertochter

4 a Carmen: Mein Schwager Thomas, dein Bruder Mohamed, Meine Mutter Teresa und deine Mutter Sofia, Meine Schwestern und deine Schwestern
Driss: Deine Tochter, mein und dein Kind

4 b mein Kind, dein Kind (n); meine Tochter, deine Tochter (f); meine Schwestern, deine Schwestern (Pl.)

5 a senkrecht: Tanten, Cousins, Töchter, Söhne, Kinder
waagerecht: Neffen, Schwestern, Nichten, Onkel, Brüder

5 b -n / en: Tanten, Neffen, Schwestern, Nichten;
-e / ¨e: Söhne; -er / ¨er: Kinder;
- / ¨: Onkel, Töchter, Brüder; -s: Cousins;
-nen: Enkelinnen, Schwägerinnen

7 Carmens und Rosas Mutter, Driss' Schwiegermutter, Leilas Großmutter, Leilas Eltern, Driss' Mutter und Schwestern, Leilas Cousine, Carmens Fotoalbum

8 Carmen: ihre Mutter, ihre Schwester, ihr Mann
Driss: seine Familie, seine Schwester, sein Bruder

9 2. ihr Hut; 3. sein Auto; 4. ihr Auto; 5. seine Sonnenbrille; 6. ihre Sonnenbrille; 7. seine Hunde; 8. ihre Hunde; Zehn Jahre später: ihre Kinder, ihre Hunde

12 1. Spanien; 2. Mittagessen; 3. Hunger; 4. Schokolade; 5. spannend
Lösungswort: Pause

13 a offiziell: 1, 3; inoffiziell: 2, 4

13 b

Fokus Privat: Sie sagen: halb neun.
Offiziell: Sie hören: zwanzig Uhr dreißig.

14 1. eins 2. eins 3. eins 4. eine 5. ein

15 a Frühstückspause: 9 Uhr; Mittagspause: 11.30–13.15; Kaffeepausen: 10.30, 14.45

16 nicht verheiratet; nicht viel; kein Auto; keine Kinder; keine Mittagspause; geht nicht essen; keine Zeit; nicht müde

Fokus Nomen: kein / keine – steht vor dem Nomen
Verben / Adjektive: nicht – steht nach dem konjugierten Verb / vor dem Adjektiv

17 1. Nein, ich bin nicht fit. 2. Nein, ich habe keine Arbeit. 3. Nein, ich koche nicht gern. 4. Nein, er ist nicht interessant. 5. Nein, heute Abend habe ich keine Zeit. 6. Nein, ich gehe nicht spazieren.

19 *Zum Beispiel:*

Ich	möchte	am Samstag	tanzen gehen.
Was	möchtest	du am Wochenende	machen?
Max	möchte	am Samstag ins Kino	gehen.
Wir	möchten	am Nachmittag	spielen.
Was	möchtet	ihr am Nachmittag	spielen?
Und was	möchten	Sie	machen?

20 Madagaskar 2: 14:30, 15:10; Australia: 18:15, 20:20, 22:25; Die Buddenbrooks: 17:50; Mamma Mia!: 20:00, 21:45;

Lust auf mehr

Gruß aus Wien

Goran ist in Wien, Sladja ist zu Hause. Goran möchte Sladja nach Wien holen. Für Sladja ist das nicht so einfach.

Sprachquiz

1. b; 2. a; 3. a; 4. b; 5. b; 6. a

Freizeitstadt Köln

1. f; 2. a; 3. d; 4. b; 5. c; 6. g; 7. e

Grammatik

Unbestimmter Artikel: kein Plural.
Beispiele für Pluralformen:
-n / -en: Lampen, Nachbarn, Nummern, Kranken-schwestern, Polizisten, Zahlen, Adressen, Türen, Familien, Namen, Studenten, Stunden, Minuten, Pausen
-e / ⁼e: Hunde, Tage, Berufe, Ärzte, Ingenieure, Köche, Filme, Konzerte, Freunde
-er ⁼er: Länder, Häuser
- / ⁼: Vögel, Lehrer, Taxifahrer, Krankenpfleger, Kellner
-s: Babys, Discos, Kinos, Cafés, Handys
-nen: Lehrerinnen, Studentinnen, Freundinnen, Ärztinnen

Film ab!

2   26; Hamburg; Medizinstudentin; fernsehen, tanzen; lesen; Kater

4   ihr Freund

5 a   TANGO

5 b   3, 2, 5, 4, 1

6   ihr Kater

Lektion 4

1 a   waagerecht: Bier, Zeitung, Tomate, Reis, Brot, Banane, Schinken
senkrecht: Butter, Salat, Zitrone, Käse, Milch, Tee, Wein, Apfel

1 b   der: Wein, Tee, Apfel, Reis, Schinken, Salat;
das: Bier, Brot, Ei, Fleisch;
die: Butter, Banane, Zitrone, Tomate, Milch, Zeitung

3 a, b Sie hat Tomaten, einen Apfel, aber sie hat keine Zwiebel, kein Öl.
Sie hat Tomaten und Eier, aber sie hat keine Milch und keinen Schinken.
Sie hat Tomaten, aber sie hat keinen Reis, keine Butter, kein Salz und keinen Pfeffer.

3 d   Sie geht in eine Pizzeria.

4 a, b *Zum Beispiel:*

Subjekt – Nominativ	Verb	Ergänzung – Akkusativ
1. Anna	schreibt	einen Text.
2. Wir	haben	keine Zeit.
3. Die Studenten	lernen	Deutsch.
4. Du	isst	einen Apfel.

4 c   Das ist / sind:
ein Kuchen   ein Brot   eine Suppe   Tomaten
kein Kuchen   kein Brot   keine Suppe   keine Tomaten
Wir kaufen:
einen Kuchen   ein Brot   eine Suppe   Tomaten
keinen Kuchen   kein Brot   keine Suppe   keine Tomaten

5 a   die Kartoffel + das Omelett = das Kartoffelomelett;
die Kartoffel + der Kuchen = der Kartoffelkuchen;
die Kartoffel + der Salat = der Kartoffelsalat

5 c   das Filmprogramm: der Film + das Programm;
das Kursbuch: der Kurs + das Buch;
die Mittagspause: der Mittag + s + die Pause;
das Familienfoto: die Familie + n + das Foto;
das Frühstücksbuffet: das Frühstück + s + das Buffet

6 b   von unten nach oben: freundlich, noch ruhig, genervt, wütend

8   A 3; B 5; C 1; D 2; E 4; F 6

9   an: anfangen; ab: abholen; aus: ausladen; ein: ein-kaufen; los: losfahren, losgehen; zurück: zurückfah-ren, zurückgehen, zurückkommen; weg: wegfahren, weggehen

10   1. einkaufen (X), kaufen; 2. anbieten (X), bedienen; 3. aufstehen (X), stehen; 4. hören, aufhören (X); 5. wegfahren (X), fahren

11   Um wie viel Uhr / Wann stehen Sie auf? Um wie viel Uhr / Wann fahren Sie los? Wann fangen Sie mit der Arbeit an? Arbeiten Sie alleine? Wann kommen Sie nach Hause zurück? Sind Sie gern Bäcker? Sehen Sie abends oft fern?

12   Aussagesatz: Ich kaufe normalerweise samstags ein. Mittags hole ich die Kinder von der Schule ab.
W-Frage: Wann kommt ihr nach Hause zurück?
Ja- / Nein-Frage: Fängt der Deutschkurs heute später an?

13   Wer? – Johannes Neumann; Wo? – in Ulm; Was macht die Person? – isst jeden Tag einen Schokoladenku-chen; Warum? – Schokoladenkuchen hält fit und gesund

14   Termin; am; um; Uhr; einen; einen Termin; am; Um wie viel; Dank

15   Kunde: 1, 4, 5, 7; Verkäufer/in: 2, 3, 5, 6

3

16   falsch: 1 b, 2 c, 3 a, 4 c

18 a   Tee, Gemüse, Milch, Bananen, Wein

18 b   *Zum Beispiel:* Sie kaufen Käse. Sie brauchen Zahnpasta. Sie kaufen Bier in Flaschen. Und die Äpfel aus Österreich?

Lust auf mehr
Ein Cartoon
Seltsames Rezept für Buchstabensuppe!

Film ab!
2   Dieterle; Stuttgart; Kinderkrankenpfleger; im Restaurant; von 8:00 bis 15:00 Uhr; 2 Kinder; Fußball, Kino, Theater, Kneipe

4 a   im Restaurant: Brezeln, Butter, Kaffee, Kuchen, Paprika, Brötchen
in der Markthalle: Bananen, Orangen, Äpfel, Ananas
zu Hause: Orangen, Ananas, Zitronen, Lolly, Würstchen, Gurken, Brot
nicht im Film: Eier, Käse, Kartoffeln, Wein, Milch, Fisch, Reis, Tomaten

6   8:00 Uhr

Das kann ich schon! | Lektion 3–4

1   mein Sohn, meine Tochter, ihr Mann, Seine Familie, deine Kinder, Ihre Frau

2   8:30 – aufstehen; 9:30 – frühstücken; 10:15 – einkaufen; 13:10 – losgehen;
20:15 – zurückkommen; 21:00 – kochen; 21:45 – fernsehen; 24:00 – lesen

3   etwas suchen: 4; etwas kaufen: 3, 6;
nach dem Preis fragen: 5;
ein Kaufgespräch beenden: 2; etwas reklamieren: 1

4   Die Verkäuferin ist heute sehr zufrieden: Viele Leute kaufen ein. Kugelschreiber, Toilettenpapier und Zwiebeln sind im Angebot, Zeitungen leider nicht.

5   A 4; B 2; C 3; D 1; E 6; F 5

Lektion 5

1   zum Fernsehturm, zum Pressetermin; zur Post, zur Schule, zur Berlinale; sie gehen zu Fuß

2   lang – kurz, klein – groß, unzufrieden – zufrieden, freundlich – unfreundlich, jung – alt, interessant – uninteressant

4   *Zum Beispiel:* 1. kurze, graue; 2. schöne, blaue; lange, blonde; 3. braun; 4. braun, lang

5   seiner Mutter; vom Bahnhof abholen; groß; kurze braune Haare; keine Brille; sportlich; sein Fahrrad mit

6   1. … arbeiten; 2. … formulieren; 3. … helfen;
4. … betreuen; 5. … einkaufen; 6. … arbeiten

8   1. … einen Führerschein? 2. … sind Sie? 3. … verheiratet? 4. … Kinder betreuen? 5. … Ihr Deutsch?
6. … anfangen? 7. … sprechen Sie? 8. … sind Sie schon hier?

9   Man kann Wörter lernen, Musik hören, SMS schreiben, die Zeitung / ein Buch lesen, Leute kennen lernen, an die Arbeit / die Familie / Freunde denken, telefonieren, …

10   *Zum Beispiel:* Ich kann gut rechnen, also kaufe ich günstig ein. … ich organisiere das Familienleben / Familienfeste / … Ich kann gut mit Kindern umgehen, wir spielen, gehen einkaufen, ich helfe bei den Hausaufgaben, … Am Wochenende kann ich endlich Briefe schreiben, telefonieren, Bücher lesen, meine Familie besuchen, Freunde treffen, …

12 a   richtig: 2, 4

12 b   Das Café Einstein ist an der Ecke Reichratsstraße / Grillparzerstraße.

12 c   *Zum Beispiel:*
   ▪ Wie komme ich zur Universität / zum Universitätseingang?
   ▫ Bieg links in die Reichratsstraße, geh dann immer geradeaus bis zur Universitätsstraße. Bieg rechts in die Universitätsstraße. Da bist du schon an der Universität. Geh immer geradeaus bis zum Dr. Karl-Lueger-Ring. Bieg rechts ab. Da ist gleich der Universitätseingang.

13 b   Das -e hört man nicht in: Leben, aufstehen, arbeiten, essen, schlafen, spielen, lachen, lieben, morgen

14 a   Zu Anna: Bring die Briefe zur Post! Fahr mit dem Bus! Nimm den Einkaufszettel mit!;
Zu Frau Hoffmann: Fangen Sie bitte an! Steigen Sie an der Schillerstraße aus. Nehmen Sie Ihren Pass mit!

14 b   du-Imperativ: Nimm! Nimm mit!; Sie-Imperativ: Fangen Sie an! Nehmen Sie! Nehmen Sie mit!

14 c   du-Imperativ: Komm bitte! Hilf bitte! Lies laut!
Sie-Imperativ: Kommen Sie bitte! Helfen Sie doch bitte! Lesen Sie laut!
du-Imperativ: Halt mal an! Steh jetzt auf! Iss doch mit!
Sie-Imperativ: Halten Sie mal an! Stehen Sie jetzt auf! Essen Sie doch mit!

15   1. Bitte spielen Sie nicht so laut Saxofon. 2. Pass bitte kurz auf den Hund auf. / Bitte pass kurz auf den Hund auf. 3. Lies den Brief bitte vor. 4. Sprich bitte nicht so schnell. 5. Wiederholen Sie bitte das Wort. 6. Geh bitte einkaufen. Hol dann die Kinder von der Schule ab.

16 In dieser Stadt gibt es kein Kino, keine Polizei, keinen Bahnhof, kein Schwimmbad, keine Bücherei, keine Kirche, keinen Flughafen, kein Rathaus, keinen Supermarkt, keine Post, keine Schule, kein Krankenhaus.

17 a im Treptower Park, im Haus der Kulturen der Welt;
in der Tiergartenstraße, in der East Side Gallery, in der U-Bahn;
auf dem Fernsehturm, auf dem Schiff, auf dem Kreuzberg, auf dem Potsdamer Platz;
auf der Glienicker Brücke;
am Brandenburger Tor, am Potsdamer Platz, am Fernsehturm, am Haus der Kulturen;
an der Kreuzung Friedrichstraße / Leipziger Straße

17 b *Zum Beispiel:* 1. zur Glienicker Brücke und dann von der Glienicker Brücke zum Alexanderplatz / Brandenburger Tor / Bahnhof Zoo; 2. zur Glienicker Brücke / Schönhauser Allee / Prenzlauer Allee / Bahnhofstraße; 3. zum Flughafen Tegel / Alexanderplatz / Bahnhof Zoo / Zentrum / Brandenburger Tor; 4. Nein, nicht zur Schönhauser Allee, zur Prenzlauer Allee.; 5. … zum Flughafen?; 6. an der

18 a am Alexanderplatz, an der Glienicker Brücke, in/an der Schönhauser Allee, an der Friedrichstraße, am Stadtbad, am Bahnhof Zoo, am Brandenburger Tor, in/an der Prenzlauer Allee?

18 b

m	am Flughafen Tegel	vom Bahnhof Zoo	zum Alexanderplatz
n	am Stadtbad	vom Brandenburger Tor	zum Haus der Kulturen
f	auf der Glienicker Brücke	von der Prenzlauer Allee	zur Glienicker Brücke

19 Fahren Sie doch mit dem Bus / Taxi / Zug / Schiff; mit der U-Bahn / Straßenbahn / S-Bahn.
Dann nehme ich den Bus / Zug; das Taxi / Schiff; die U-Bahn / Straßenbahn / S-Bahn.

Fokus Fahren Sie mit dem Zug, mit dem Schiff, mit der U-Bahn. Nehmen Sie den Zug, das Schiff, die U-Bahn.

20 a ▪ Fährt der Bus (Subjekt = Nominativ: der) Nummer 10 zum Flughafen?
□ Nein, der Bus 10 (Subjekt = Nominativ: der) fährt nicht zum Flughafen. Sie können den Bus X7 (nehmen + Akkusativ-Ergänzung: den) nehmen. Aber nehmen Sie doch die S-Bahn! (nehmen + Akkusativ-Ergänzung: die) Die S-Bahn (Subjekt = Nominativ: die) braucht nur 15 Minuten.
▪ Und was kostet ein Taxi? (Subjekt = Nominativ: unbestimmter Artikel neutral: ein)
□ Nehmen Sie kein Taxi! (nehmen + Akkusativ-Ergänzung: Negativartikel neutral: ein). Das ist zu teuer. Nehmen Sie den Airport-Sprinter (nehmen + Akkusativ-Ergänzung: den), der Airport-Sprinter (Subjekt = Nominativ: der) fährt vom Hauptbahnhof ab.

Fokus Nur maskulin hat eine besondere Form im Akkusativ.

Lust auf mehr
Die deutsche Sprache in D-A-CH
Paradeiser = Tomaten, Erdapfel = Kartoffel

Film ab!
1 *Zum Beispiel:* Mann, groß, braune Haare, braune Augen

2 a Vorname: Markus; Familienname: Eckstein; Geschlecht: männlich; Wohnort: Engelskirchen; Arbeitsorte: Stadt und Arbeitszimmer; Arbeitszeiten: keine festen; Name des Kindes: Alva

2 b Rad fahren, laufen (spazieren gehen), mit der Familie zusammen sein

3 A: Stationen, Linie, U-Bahn, Haltestelle;
B: Stadtplan, Fahrkartenautomat, Bahnhof;
C: Zug, Monatsticket; D: Taxi, Straßenbahn, S-Bahn

4 a 1 – im Bahnhof; 2 – auf der Treppe; 3 – auf dem Domplatz; 4 – auf dem Sofa; 5 – am Rathaus; 6 – im Arbeitszimmer

4 b 1 (im Bahnhof), 3 (auf dem Domplatz), 5 (am Rathaus), 2 (auf der Treppe), 6 (im Arbeitszimmer), 4 (auf dem Sofa)

6 6-mal

Wiederholungsspiel | Lektion 1–5

1. Wie heißen Sie? Woher kommen Sie? Wo wohnen Sie? Was sind Sie von Beruf? Wie alt sind Sie? …
2. Guten Tag! Hallo!; Auf Wiedersehen! Tschüss!
7. Gehen Sie zuerst geradeaus, dann (nach) rechts und dann (nach) links.
12. Es ist Viertel vor zehn. / zwanzig nach vier.
14. auf, los, ein, fern 15. die Tante, der Sohn, die Großmutter, der Bruder 16. Er hat rote Haare. Er ist 10 Jahre alt. Er hat ein Handy. Er macht Karate.
17. Wie bitte? Noch einmal bitte! 18. Kommen Sie aus Italien / aus Rom? Wohnen Sie in Salzburg / Linz / …? 20. Wie komme ich zum Zoo / zur Post / zum Rathaus? 23. Hast du einen Kugelschreiber? / Ich brauche einen Kugelschreiber. 24. Danke, das war's. / Danke, das ist alles. 25. Was / Wie viel kosten die Äpfel? 26. die Butter, das Brot, das Bier, die Banane 28. Lisa und ihr Auto, Max und sein Handy 31. keinen Wein, keine Cola, kein Bier, keine Chips 32. Steh auf! Steig ein! Komm mit! 34. die Hebamme, der Bauarbeiter, der Polizist, der DJ, der Bäcker, … 35. Entschuldigung, wo finde ich / wo gibt es Zahnpasta? 36. Wie geht es Ihnen? Wie geht es dir / Wie geht's? 37. die Kartoffelsuppe, der Kartoffelsalat, das Kartoffelomelett, der Kartoffelkuchen, das Kartoffelgericht

Bildquellennachweis

Cover Avenue Images GmbH (Getty RF), Hamburg
8 Fotosearch Stock Photography (Digital Wisdom), Waukesha, WI; **19.1; 19.3** Stephan Klonk Fotodesign, Berlin; **24.2** MEV Verlag GmbH, Augsburg; **60.7** Avenue Images GmbH (Ingram Publishing), Hamburg; **62** Stephan Klonk Fotodesign, Berlin; **63.1** Fotolia LLC (Yvonne Bogdanski), New York; **63.6** Stephan Klonk Fotodesign, Berlin; **71.6** iStockphoto (Kelly Cline), Calgary, Alberta; **72.3** Gärtner, Mario, Stuttgart; **72.4** iStockphoto (RF/Zolnerovichs), Calgary, Alberta; **74.1** Fotolia LLC (=Soft=), New York; **74.2** iStockphoto (Sandra Caldwell), Calgary, Alberta; **74.3** shutterstock (Julián Rovagnati), New York, NY; **74.4** iStockphoto (Carolina Garcia), Calgary, Alberta; **74.5** iStockphoto (Andriy Doriy), Calgary, Alberta; **75** shutterstock (Jan Gottwald), New York, NY; **76.3** Getty Images RF (Tim Hall/Digital Vision), München; **76.4** iStockphoto (Jasmin Awad), Calgary, Alberta; **77.1** iStockphoto (jozef sedmak), Calgary, Alberta; **77.2** iStockphoto (Jeffrey Heyden-Kaye), Calgary, Alberta; **88.1** Mio Technology Europe, Brussegem; **88.2; 88.3; 88.5; 88.6; 88.7** URW, Hamburg; **88.4** Klett-Archiv (Gabriela Holzmann), Stuttgart; **90** Ingram Publishing, Tattenhall Chester; **90** MEV Verlag GmbH, Augsburg; **91** iStockphoto (Dorit Jordan Dotan), Calgary, Alberta; **93** shutterstock (Alena Brozova), New York, NY; **106** Das Fotoarchiv (Jörn Sackermann), Essen; **110** Fotosearch Stock Photography (Digital Wisdom), Waukesha, WI; **111** Stelle für interkulturelle Arbeit, Sozialreferat (www.muenchen.de/interkult), München; **114.1; 114.2; 114.3; 114.4** Klett-Archiv, Stuttgart; **115** Fotosearch Stock Photography (Digital Wisdom), Waukesha, WI; **115.1** Pixelio.de (Hans-Walter Spille), München; **115.2** iStockphoto (Marcel Pfost), Calgary, Alberta; **115.3** iStockphoto (Wolfgang Mette), Calgary, Alberta; **115.4** iStockphoto (Richard Schmidt-Zuper), Calgary, Alberta; **118.1** Ullstein Bild GmbH (JOKER/Gloger), Berlin; **118.2** Klett-Archiv (Studio Leupold), Stuttgart; **118.3** shutterstock (Bruno Passigatti), New York, NY; **118.4** iStockphoto (RF), Calgary, Alberta; **118.5** shutterstock (Teze), New York, NY; **122** Stephan Klonk Fotodesign, Berlin; **127** Fotolia LLC (AKhodi), New York; **130.1; 130.2; 130.3; 130.4** Klett-Archiv, Stuttgart; **131** Klett-Archiv, Stuttgart; **139.1; 139.2; 139.3** Lourdes Ros, München; **143** Fotosearch Stock Photography (PhotoDisc), Waukesha, WI; **148.1; 148.2; 148.3** Klett-Archiv, Stuttgart; **149.1; 149.2; 149.4; 149.5** Klett-Archiv, Stuttgart; **152** Ullstein Bild GmbH (KPA), Berlin; **153** Fotosearch Stock Photography (PhotoDisc), Waukesha, WI; **157** iStockphoto (Claudia Dewald), Calgary, Alberta; **161** Lappan Verlag (aus "Küß mich, ich bin eine verzauberte Geschirrspülmaschine"), Oldenburg; **164.1; 164.2** Klett-Archiv, Stuttgart; **165.1; 165.2** Klett-Archiv, Stuttgart; **179** laif (Hoffmann, K./laif, Künstler: Thierry Noir), Köln; **182** Klett-Archiv, Stuttgart; **183.1; 183.2; 183.3; 183.4; 183.5** Klett-Archiv, Stuttgart; **183.6** Klett-Archiv, Stuttgart

Nicht in allen Fällen war es uns möglich, den Rechteinhaber der Abbildungen ausfindig zu machen. Berechtigte Ansprüche werden selbstverständlich im Rahmen der üblichen Vereinbarungen abgegolten.

Textquellen

KB 3/Ausklang, S. 59: Oh, wann kommst du?
Frances, Miriam, Westminster Music Ltd., Essen Musikvertrieb GmbH, Hamburg.

KB 4/10, S. 68: Zufrieden bin ich immer
nach: Ottfried: Die Bamberger Studentenzeitung „Zufriedn bin i imma"
C. Malte, E. Kollenberg, Kollenbecker Video – Foto – Print

KB 5/Ausklang, S. 90: Entschuldigung
aus: „Die Brücke vom goldenen Horn" von Emine Sevgi Özdamar,
© 1998 by Verlag Kiepenheuer & Witsch GmbH & Co. KG, Köln

KB 5/Ausklang, S. 91: Wasser aus der Spree
Trikot: Wasser aus der Spree (Robot Koch Mix) nach „Agua de Beber", Musik:
Carlos Antonio Jobim, Text: Vinicius de Moraes © by Campodiglio Ed. Mus. Srl.
Mit freundlicher Genehmigung der Rolf Budde Musikverlag GmbH

AB 1/Lust auf mehr, S. 111: Herzlich willkommen!
Stelle für interkulturelle Arbeit der Landeshauptstadt München, Sozialreferat,
www.muenchen.de/interkult

AB 1/Lust auf mehr, S. 111: Konstellation © Eugen Gomringer, Rehau

AB 1/Lust auf mehr, S. 111: Glück (nach Hans Manz)
aus: Hans Manz, Die Welt der Wörter
© 1991 Beltz & Gelberg in der Verlagsgruppe Beltz, Weinheim & Basel

AB 2/Lust auf mehr, S. 127: reden und hören
aus: Hans Manz, Die Welt der Wörter
© 1991 Beltz & Gelberg in der Verlagsgruppe Beltz, Weinheim & Basel

AB 3/Lust auf mehr, S. 145: Gruß aus Wien
aus: Sandra Gugic: Eine kurze Geschichte über eine lange Fahrt. In: Literatur exil, Preistexte 08,
edition exil, Wien 2008, S. 40

Audio-CD Impressum

Sprecherinnen und Sprecher: Christian Büsen, Heike Denkinger, Lea Marie Denkinger, Irene Fechau, Muriel Hahn, Lukas Holtmann, Astrid Infantas, Stephen Ireland, Odine Johne, Barbara Kysela, Regina Lebherz, Viktoria Leongardt, Stephan Moos, Francesca Pisu, Mario Pitz, Lena Reinheimer, Fridolin Sandmeyer, Alexander Schuster, Kais Setti, Helge Sidow, Benjamin Wesener, Kilian Zaune

Regie: Hede Beck
Tontechnik: Michael Vermathen
Produktion: Bauer Studios GmbH, Ludwigsburg
Presswerk: optimal media production GmbH, Röbel / Müritz

© Ernst Klett Sprachen GmbH, Stuttgart 2009

DVD Impressum

Konzept, Buch und Sprachregie: Angelika Lundquist-Mog und Angelika Raths
Redaktion: Renate Weber
DVD Produktion: Akademie der media GmbH, Stuttgart
Geschäftsführer: Dr. Tamara Huhle und Jörg Schmidt M.A., MBA
Produktionsleitung & Regie: Jørn Precht
Regieassistenz und Aufnahmeleitung: Sabrina Flechtner
Kamera: Eva Tamaskovics
Ton: Nikolai Knödel, Michael Kos, Kevin Kuhn und Niko Mannonen
Sprecherin: Barbara Stoll
Schnitt: Ellen Sammet und Fritz Zackor
DVD-Authoring, Untertitel und Sounddesign: Fritz Zackor
Musik: zdarlight music network

© Ernst Klett Sprachen GmbH, Stuttgart 2009

Die in diesem Werk angegebenen Internetadressen wurden geprüft (Stand: Mai 2009). Dennoch ist nicht auszuschließen, dass unter einer solchen Adresse inzwischen ein ganz anderer Inhalt angeboten wird.

Audio-CD zum Kursbuch

Track	Lektion / Aufgabe	Titel
1	Einstieg / 1	Herzlich willkommen!
2	Einstieg / 2	Städte
3	1 / 1	Hallo! Guten Tag!
4	1 / 2a	Wir sind da.
5	1 / 2b	
6	1 / 3	Neue Wörter
7	1 / 4	Die neue Nachbarin
8	1 / 5	Ich bin … und wer sind Sie?
9	1 / 6a	Hallo, hallo – das klingt so!
10	1 / 6b	
11	1 / 8	Im Sportkurs
12	1 / 10	Ganz nah
13	1 / 12a	Wie bitte? Buchstabieren Sie bitte.
14	1 / 12b	Das Alphabet
15	1 / 13	Zahlen 1–100
16	1 / 15	Auf dem Amt
17	1 / 17	Fragen zur Person
18	1 / Ausklang	Aha! Hmmm!
19	2 / 2	Alles Gute!
20	2 / 3	Gut oder schlecht?
21	2 / 6	Ein Krankenhausteam
22	2 / 7	Die neuen Kolleginnen und Kollegen
23	2 / 9	Der Dienstplan
24	2 / 10a	Offiziell oder privat?
25	2 / 10c	
26	2 / 15	Ruhe bitte!
27	2 / 18	Wochenplan
28	3 / 2	Ein Telefongespräch
29	3 / 5	Eine internationale Familie
30	3 / 7a	Ö und Ü? Schön üben!
31	3 / 7b	

Track	Lektion / Aufgabe	Titel
32	3 / 7c	
33	3 / 10	Wie viel Uhr ist es?
34	3 / 12	Mittagspause mit den Kollegen
35	3 / 14	Ein Vorschlag
36	3 / Ausklang	Ein Lied: Oh, wann kommst du?
37	4 / 4b	So ein Mist!
38	4 / 4e	
39	4 / 5	Wir brauchen vier!
40	4 / 6	Entschuldigung, ich habe ein Problem.
41	4 / 8a	Vera, Sven und Käthe essen gern …
42	4 / 8b	
43	4 / 8d	
44	4 / 11	Was machen Sie jetzt?
45	4 / 14	Im Supermarkt
46	4 / 15	Werbung im Supermarkt: billig, günstig, ganz frisch!
47	4 / 17	1, 2, 3 … Sch …
48	5 / 2	Annas Opa?!
49	5 / 4	Wie sehe ich denn aus?
50	5 / 11	Orientierung
51	5 / 12	Entschuldigung, wo ist bitte
52	5 / 13	Ist hier noch frei?
53	5 / 16	Steig doch bitte ein!
54	5 / 18a	Wie komme ich zum …?
55	5 / 18b	
56	5 / 19	Nehmen Sie den Bus!
57	5 / 20	Ist es noch weit?
58	5 / Ausklang	Ein Lied: Wasser aus der Spree
59	Strategietraining 1–5	Hören
60	Anhang	Laute und Buchstaben

Audio-CD zum Arbeitsbuch

Track	Lektion / Aufgabe	Titel
1	1 / 6	Rhythmus-Muster
2	1 / 7	Herzlich willkommen!
3	1 / 9	Begrüßung im Kurs
4	1 / 11	Kontakte im Park
5	1 / 17	Auf dem Amt: Persönliche Zahlen
6	1 / Lust auf mehr	Grüß Gott und Servus! – Begrüßungen regional
7	1 / Lust auf mehr	Mit Sprache spielen
8	2 / 1	Was sind sie von Beruf?
9	2 / 4	Wie geht es Ihnen? Wie geht es dir?
10	2 / 7a	Wo ist der Wortakzent?
11	2 / 7b	
12	2 / 12	Ihre Sprache / Andere Sprachen
13	2 / 16	Ein Interview
14	2 / Lust auf mehr	Berufe in Poesie
15	Das kann ich schon!	Fragen zur Person verstehen
16	3 / 1	Telefon emotional

Track	Lektion / Aufgabe	Titel
17	3 / 2	Das Telefon klingelt.
18	3 / 13	Uhrzeit: offiziell / inoffiziell
19	3 / 15	Herr Müller macht Pause.
20	3 / 20	Kinoprogramm im City-Cinema
21	3 / 21a	Schön, süß, blöd!
22	3 / 21c	
23	4 / 3	Tomatengerichte
24	4 / 6	Frau Schulze hat ein Problem.
25	4 / 17	Angebote nutzen
26	4 / 19a	Lustige Reime mit E-Lauten
27	4 / 19d	
28	4 / 19e	
29	4 / Lust auf mehr	Essen in Poesie
30	Das kann ich schon!	Uhrzeiten und Tagesablauf verstehen
31	5 / 5	Wie sieht er denn aus?
32	5 / 12	Wie komme ich zum Café?
33	5 / 13a	Leben
34	5 / 13c	